T5-AFM-632

Wolfhart Pannenberg

Wolfhart Pannenberg

Christentum und Mythos

Späthorizonte des Mythos
in biblischer und christlicher Überlieferung

Gütersloher Verlagshaus Gerd Mohn

ISBN 3 579 04228 9

Gesamtherstellung: Hieronymus Mühlberger KG, Augsburg
Umschlagentwurf: Peter Steiner, Stuttgart
Printed in Germany

Vorwort

So durchschlagend das Schlagwort der Entmythologisierung des Christentums im allgemeinen Bewußtsein gewirkt hat, so problematisch ist die dabei zugrunde liegende Auffassung des Mythischen, und als entsprechend fragwürdig stellen sich die Forderungen der Entmythologisierung dar. Die vorliegende Studie möchte dazu beitragen, diesen Sachverhalt bewußt zu machen, zugleich einen besser begründeten Begriff des Mythischen entwickeln und die Konsequenzen seiner Anwendung auf die biblischen Schriften andeuten. Die Studie ist im Rahmen des Arbeitskreises »Poetik und Hermeneutik« entstanden und in dem Sammelband »Terror und Spiel. Probleme der Mythenrezeption« im Wilhelm Fink Verlag München 1971 zuerst erschienen. Da ich als einziger Theologe in diesem Arbeitskreis beteiligt bin und daher die Gesichtspunkte der Theologie im ganzen dort wahrzunehmen hatte, mußte ich auch exegetische Details verhältnismäßig eingehend behandeln. Dabei bin ich mir der mangelnden fachlichen Zuständigkeit in diesem Bereich durchaus bewußt und möchte diesen Teil der Studie mehr als Illustration des hier entwickelten Mythosbegriffs durch Hinweis auf seine mögliche Tragweite für die biblische Exegese verstanden wissen. Seine umfassende Anwendung durch den zuständigen Fachmann würde sicherlich noch andere Resultate zutage fördern. Ergänzungsbedürftig ist die Studie auch im Hinblick auf die Funktionen mythischen Bewußtseins im gesellschaftlichen Lebenszusammenhang. So bleibt die politische Funktion des Mythos als Legitimierung von Herrschaft und ihre Spannung zum eschatologischen Bewußtsein des Urchristentums unberücksichtigt. Doch dürfte es keine unüberwindlichen Schwierigkeiten bereiten, die Konsequenzen des hier dargelegten Begriffs des Mythischen auch nach dieser Seite hin zu entwickeln.

Lochham, im Juni 1971 Wolfhart Pannenberg

I.

Die Meinung, daß die christliche Botschaft nichts mit Mythen zu tun habe, ist bereits in späten Schriften des Neuen Testaments ausgesprochen worden. So setzt der zweite Petrusbrief die auf Augenzeugenschaft beruhende Christusbotschaft den Mythen entgegen (1, 16). Die beiden unter dem Namen des Paulus überlieferten Timotheusbriefe fanden bereits Anlaß, vor einem Eindringen von *Mythen und endlosen Genealogien* in das Christentum zu warnen (1 Tim 1, 4), und sahen eine Zeit voraus, in der sich die Gemeinden von der *Wahrheit* ab- und den Mythen zuwenden werden (2 Tim 4, 4). Wird so die Christusbotschaft als Wahrheit den Mythen entgegengesetzt, so handelt es sich dabei doch nicht in erster Linie um eine Abgrenzung gegenüber der griechischen Mythologie. Vielmehr wird ausdrücklich von jüdischen Mythen gesprochen (Tit I, 14): Es mag dahingestellt bleiben, ob dabei an eine jüdische Gnosis gedacht ist, oder ob ein weiterer und weniger präziser Sprachgebrauch vorliegt.

Die moderne Bibelkritik hat sich durch solche kanonischen Bemerkungen nicht davon abhalten lassen, auch in biblischen Texten Mythisches zu entdecken. Allerdings geht es dabei weniger um bewußt erdachte Geschichten, wie sie der zweite Petrusbrief im Blick hat. Hier wie auch bei den übrigen neutestamentlichen Anspielungen dürfte die hellenistischer Bildung geläufige Zuweisung der Mythen an die Dichter im Hintergrund stehen. Die Mythenkritik in der modernen Bibelauslegung hingegen faßt das Mythische vorwiegend als unwillkürliche, für eine nun überwundene Stufe der menschlichen Geistesgeschichte charakteristische Vorstellungsweise. Diese im Streit um die ›Entmythologisierung‹ vorherrschende Auffassung vom Mythischen entspricht dem von Schelling so genannten ›allegorischen‹ Begriff des Mythos, wonach dieser Naturphänomene in einer anderen als der ihnen angemessenen, eben in mythischer Weise vorstellt und darstellt. Schelling unterschied in seiner *Philosophie der Mythologie* diese allegorische Deutung des Mythischen nicht nur von der poetischen, die die Mythen als Werk der Dichter versteht, sondern auch von einer spezifisch religiösen, die im Unterschied zu jenen beiden den Mythos als Wahrheit nimmt, nämlich als Göttergeschichte, Theogonie. Das Moment der Geschichte in der Göttergeschichte begreift Schelling dabei als *wirkliches Werden Gottes im Bewußtsein, zu dem sich die Götter nur als die einzelnen erzeugenden Momente verhalten* (VI, 200). Schelling fand einen solchen religiösen Begriff des Mythos insbesondere durch die Schriften Friedrich Creuzers ausgearbeitet (S. 91). Besonders regte ihn dessen Gedanke eines *ursprünglichen Ganzen ... eines Gebäudes unvordenklicher Wissenschaft* an, der sich bei Creuzer mit der von Bailly herrührenden Idee einer in der ›Urzeit‹ ergangenen ›Uroffenbarung‹ als Ursprung des Mythos verbunden habe (S. 90 ff.)[1].

Die Verknüpfung der religiösen Auffassung des Mythos mit der Hypothese eines Urmonotheismus, wie sie Schellings *Philosophie der Mythologie* bestimmt, hat sich nicht halten lassen. Aber die Verbindung des Mythos mit der ›Urzeit‹ und der in ihr begründeten Ordnung des ›Ganzen‹ der menschlichen Welt hat sich in der religionswissenschaftlichen Mythosforschung des 20. Jahrhunderts weithin durchgesetzt. Ein wichtiges Mittel zur Gewinnung eines genaueren und spezifischen Begriffs des Mythos bildete dabei die Unterscheidung des Mythos von anderen archaischen Erzählungsformen, vor allem von Märchen und Sage. Seit den Brüdern Grimm, die Göttermythos und Heldensage noch eng zusammensahen, sogar beide als Sage bezeichnen konnten und lediglich im historischen Bezugspunkt der Sagen ein formales Kriterium ihrer Unterscheidung vom Göttermythos wie auch vom mehr poetischen und ungebundenen Märchen[2] in der Hand hatten, ferner aber zwischen Göttermythos, Sage und Märchen eine genetische Abfolge konstruierten, ist die vergleichende Un-

1. Verweise im Text beziehen sich auf Schelling: Sämtliche Werke hg. von M. Schröter, München 1925–28, Bd. 6. An der zuletzt zitierten Stelle übergeht Schelling eigenartigerweise Josef Görres, dessen Aufsatz »Religion in der Geschichte« (in: Studien, hg. von C. Daub – F. Creuzer, Bd. 3, Heidelberg 1807) für die romantische Deutung des Mythos als urzeitliche Offenbarung bahnbrechend geworden ist.

2. Hierzu siehe z. B. J. Grimm: Deutsche Mythologie, hg. von E. Redslob, Leipzig 1942 (Reclam), S. 18. Die Unterscheidung des Mythos von Sage und Märchen haben die Brüder Grimm im Vorwort zu ihren Kinder- und Hausmärchen (1822) ausgesprochen. Um eine genauere Charakteristik des Märchens bemüht sich neuerdings das Buch von L. Röhrich: Märchen und Wirklichkeit, Wiesbaden 1956.

terscheidung dieser Erzählungsformen erheblich verfeinert und ihre Selbständigkeit gegeneinander trotz fließender Übergänge gesichert worden[3]. Der Mythos unterscheidet sich von Sage und Märchen vor allem dadurch, daß er in der Urzeit, d. h. im ›Anfang‹ der jetzigen Lebensordnung Geschehenes zum Gegenstand hat, das diese jetzige Lebensordnung konstituiert und darin seine fortwirkende Kraft erweist. Die spezifische Zeitlichkeit des Mythos hängt auf das engste mit seiner Funktion als *gründender*, fundierender Geschichte zusammen: die Zeit, in der die gegenwärtigen Ordnungen der natürlichen und gesellschaftlichen Welt entstanden, ist eben – vom gegenwärtigen Lebenden her geurteilt – die ›Urzeit‹, jedenfalls dann, wenn die gegenwärtige Ordnung der Dinge zugleich als unverbrüchlich gültig verstanden wird. Weder Märchen noch Sage haben diesen Urzeitcharakter. Das Märchen berichtet nicht von gründender Urzeit, sondern bewegt sich in der zeitlosen Typik von Wünschen und Ängsten[4]. Die Sage hat dem Märchen gegenüber mit dem Mythos gemein, daß das von ihr berichtete Geschehen für tatsächliches Geschehen gehalten wird, aber nicht wie beim Mythos für urzeitliches, gründendes Geschehen, sondern für durch ihre Außergewöhnlichkeit hervorragende historische Begebenheit, der die auf seiner fundierenden Funktion beruhende Allgemeinheit des Mythos fehlt. Der historische Charakter der Sage und ihr Mangel an strenger Allgemeingültigkeit trotz aller typisierenden Überhöhung des historisch Außerordentlichen müssen als zusammengehörig begriffen werden.

Die Abgrenzung von Märchen und Sage, sowie von weiteren Erzählungsformen[5], konstituiert allererst die empirische Identifizierbarkeit des Mythos als einer besonderen archaischen Erzählungsform. Zugleich hat der romantische Gedanke, daß es Mythen mit einer heiligen Urzeit oder

3. E. Bethe hat in seinem Vortrag »Mythus, Sage, Märchen« in: Hessische Blätter für Volkskunde 6 (105), S. 97–142, die drei Erzählungstypen bereits als nach »Ursprung und Zweck« verschieden erkannt (S. 139). Doch hat er sich noch von einer Auffassung des Mythos als »primitive Philosophie« (ebd.) leiten lassen und in den Mythen »primitive Erklärungsversuche, die ersten Anfänge der Wissenschaft« erblickt (S. 137). Eine vom Gesichtspunkt der Urzeitlichkeit des Mythos ausgehende Darstellung jener Beziehungen hat H. Baumann zu Beginn seiner großen Abhandlung »Mythos in ethnologischer Sicht« in Studium Generale 12 (1959), S. 1–17, S. 583–597, gegeben.

4. Bethe, aaO S. 106 ff., Baumann, aaO S. 4 ff. Die von Bethe und auch von Malinowski betonte Unterhaltungsfunktion des Märchens wird von Baumann im Anschluß an Röhrich als untergeordnetes Moment behandelt. In der Tat können viele Erzählungsgattungen neben anderen, ursprünglicheren Zwecken auch der Unterhaltung dienen.

5. Hier sind besonders Legende, Novelle und ätiologische Erzählung zu erwähnen.

Vorzeit zu tun haben, dadurch seine Unbestimmtheit verloren und ist auf seinen funktionellen Sinn beschränkt worden. Die Urzeitlichkeit der Mythen besagt weder, daß sie tatsächlich aus unvordenklicher Zeit stammen, noch liegt ihr irreduzibles Grundmotiv in der Ehrwürdigkeit der Vorzeit überhaupt; vielmehr steht die Urzeitlichkeit des Mythos in genauem Zusammenhang mit seiner die gegenwärtige Weltordnung begründenden Funktion, und erst daraus ergibt sich die Ehrwürdigkeit und (kultische) Verehrungswürdigkeit der im Mythos zur Sprache kommenden ›urzeitlichen‹ Wirklichkeit.

Dieser Begriff der gründenden Urzeit ist für die moderne Religionswissenschaft maßgeblich durch B. Malinowski, Myth in Primitive Psychology, 1926, gewonnen und durch H. Preuss, K. Kerenyi, M. Eliade und andere weiterentwickelt worden. Malinowski hat sich von seiner Erkenntnis des Mythos als einer gegenüber dem gegenwärtigen Leben »ursprünglicheren, größeren und wichtigeren Wirklichkeit« her mit Recht dagegen gewandt, im Mythos lediglich einen symbolischen Ausdruck für etwas von ihm selbst Verschiedenes zu suchen oder ihn als eine Form primitiver Erklärung der Erfahrenswirklichkeit aufzufassen[6]. Der Wunsch zu erklären, eine Art Vorform wissenschaftlicher Neugier, sei dem Mythos fremd. Nicht Erklärung *(explanation)*, sondern Beglaubigung *(legitimation)* sei das ihn bestimmende Interesse. Damit ist natürlich wiederum nicht eine nachträgliche Rechtfertigung des Bestehenden gemeint; denn die Legitimation wird ja gerade aus dem Verweis auf das Ursprüngliche gewonnen. Das aber zeigt, daß der Begriff der Legitimation mit seiner Assoziation der Nachträglichkeit den Sachverhalt noch nicht adäquat kennzeichnet. Kerenyi hat die Funktion des Mythos richtiger als die eines Begründens gekennzeichnet[7]. Eliade versteht den Mythos als »exemplarisches Modell« sowohl der Weltordnung als auch insbesondere »für alle Riten und alle wesentlichen Tätigkeiten des Menschen«[8]. Beide Bestimmungen konvergieren. Das exemplarische Modell hat begründende Funktion, nicht im Sinne rationaler Rechenschaft, sondern im Sinne des Gründens, als Fundierung. Weil der Mythos, mit Eliade zu sprechen, den Charakter *urbild-*

6. Letzteres z. B. bei A. Lang: Myth, Ritual and Religion, Bd. 2, London 1887, S. 282 ff. Malinowskis Argumentation richtet sich ausdrücklich gegen Lang, vgl. Myth in Primitive Psychology, London 1926, S. 88.

7. C. G. Jung – K. Kerenyi: Einführung in das Wesen der Mythologie, Amsterdam 1941, S. 16.

8. M. Eliade: Das Heilige und das Profane. Vom Wesen des Religiösen (Rowohlts deutsche Enzyklopädie 31), Hamburg 1957, S. 57.

licher Wirklichkeit hat, darum muß in der Tat die auf das Erklären gegenwärtiger Sachverhalte zielende ätiologische Erzählung vom Mythos unterschieden werden[9]. Der echte Mythos hat nur für unsere Betrachtung, nicht aber für das mythische Bewußtsein selbst eine Erklärungsfunktion. Geht es doch in ihm um die in sich selbst ruhende ursprüngliche Wirklichkeit.

Neben der Unterscheidung von anderen archaischen Erzählungsformen hat besonders die Erkenntnis der Zusammengehörigkeit von Mythos und Kult in der neueren Religionswissenschaft zur Gewinnung eines präzise bestimmten empirischen Mythosbegriffs beigetragen, im Gegensatz vor allem zur ästhetisierenden Deutung des Mythos als freie Dichtung. Die Zusammengehörigkeit von Mythos und Kultus hatte bereits K. O. Müller 1825 betont[10]. K. Th. Preuss hat diesen Gesichtspunkt im Rahmen von Malinowskis Erkenntnis des urzeitlichen Charakters der Mythen erneuert. Der Mythos gilt jetzt als Beglaubigung der Riten. »Er weist in die Vergangenheit, wo die heilige Handlung zum erstenmal vorgenommen wurde, ja manchmal läßt sich sogar nachweisen, daß der Primitive nicht etwa bloß den eingeführten Vorgang wiederholt, sondern bewußt die erstmalige Begehung als wirklicher Vorgang mit allen den damals teilnehmenden Wesen leibhaftig dargestellt wird«[11]. In solcher Betrachtung kann der Mythos geradezu als abgeleitet vom Kultus, als Produkt der Reflexion auf die kultische Begehung erscheinen. Besonders extrem hat das S. Mowinckel formuliert: »Der wirkliche Mythos ist an den Kultus geknüpft, dem Kultus entsprungen und drückt aus, was dort geschieht und was einmal grundlegend geschah – die ›Heilstatsache‹, die in ›Erinnerung‹ gebracht wird, indem man sie wiedererlebt«[12]. Solche Herleitung vergißt jedoch die grundlegende Einsicht Malinowskis in den ursprünglichen Charakter der im Mythos berichteten Wirklichkeit, die zumindest für das mythische Bewußtsein selbst Priorität vor allem menschlichen Tun und also auch vor aller kultischen Begehung hat. Aber auch abgesehen vom Selbstverständnis des mythischen Menschen bleibt die Frage

9. A. E. Jensen: Mythos und Kult bei Naturvölkern, Wiesbaden 1951, S. 87 ff., 91 ff. H. Baumann, aaO S. 7 ff., faßt den Unterschied zwischen Mythos und ätiologischer Erzählung noch schärfer, indem er sich gegen Jensens Herleitung der letzteren aus abgesunkenen Mythen wendet.

10. Prolegomena zu einer wissenschaftlichen Mythologie, Göttingen 1825, S. 236, 372.

11. Der religiöse Gehalt der Mythen, Tübingen 1933, S. 7. Vgl. auch die Anm. 8 zitierte Definition Eliades.

12. Religion und Kultus, Göttingen 1953, S. 94 und ff.

offen, ob nicht der Kultus, wenn er Begehung urzeitlichen Geschehens ist, schon seinerseits irgendeine Vorstellung von jenem urzeitlichen Geschehen und also einen sei es auch noch so rudimentären Mythos voraussetzt, damit es überhaupt zur Kulthandlung kommen kann. Jensen hat daher mit Recht der verbreiteten Herleitung des Mythos aus dem Kult widersprochen mit der Behauptung, daß dann eher noch umgekehrt der Kult aus dem Wesen des Mythos ableitbar werde[13]. Gewiß lassen sich kultätiologische Mythen nachweisen, nachträgliche Deutungen eines Ritus. Doch die Nachträglichkeit der Deutung läßt sich nur dann erweisen, wenn Anzeichen bestehen, die auf ein ursprünglich anderes Verständnis des Ritus hinweisen. Die nachträgliche Deutung der Kultätiologie, – bei der übrigens auch noch fraglich ist, ob sie nicht eher als ätiologische Erzählung anzusprechen ist denn als Mythos im strengen Sinne – erscheint also bereits als *Umdeutung*. Man gelangt auf solche Weise nicht zu einem gänzlich ohne Mythos vorstellbaren Kult, sondern nur zu einem anderen Mythos, mit dem die Kulthandlung vordem verbunden war. Doch wie immer die Frage der Priorität im Verhältnis von Mythos und Kult zu entscheiden ist, ob auch vielleicht beide als selbständige Phänomene zu beurteilen sind, jedenfalls steht ihre enge Zusammengehörigkeit fest, die sich sowohl vom Wesen des Kultus als auch von der Urbildlichkeit des Mythos her erschließt. Das braucht nicht zu bedeuten, daß alle Einzelzüge der Mythenbildung eine kultische Entsprechung haben müssen. Eine solche Schematik ließe sich schwerlich rechtfertigen. Aber man muß doch damit rechnen, daß Mythenbildung ohne Bezug auf Rituale, mit denen gegenwärtiges Leben in den »exemplarischen Modellen« der Urzeit vollzogen wird, nicht vorstellbar ist. Mit dem Bedürfnis nach ritueller Erfüllung der Gegenwart geriete das Lebensinteresse aus dem Blick, das in der Mythenbildung, sei es auch als Abwandlung des Überlieferten, seinen Ausdruck findet[14].

13. AaO S. 54 ff.

14. E. Hornung hat in seinem Vortrag »Vom Geschichtsbild der alten Ägypter« (Geschichte als Fest, Darmstadt 1966, S. 9–29) dargelegt, daß die dem Handeln z. B. des ägyptischen Königs vorgegebene Typik nicht ausschließt, daß neue zeremonielle Handlungstypen entstehen, die dann ebenso ritualisiert wiederholt werden (S. 20 ff.).

II.

In der philosophischen und theologischen Diskussion über Mythos und Entmythologisierung findet der religionswissenschaftliche Begriff des Mythos gemeinhin nicht die ihm gebührende Beachtung. Man arbeitet weiter mit Begriffen von Mythos als Symbol, als poetischer Schöpfung oder als primitiver Naturerklärung, die aus früheren, durch die moderne Religionswissenschaft überholten Epochen der Mythenforschung stammen. Dadurch entsteht nicht nur terminologische Verwirrung. Vielmehr verlieren die allgemeinen Erörterungen über das Mythische und seine Relevanz oder Irrevelanz für die Gegenwart auf solche Weise den Anhalt am Phänomen. Sie müssen dann in den Verdacht geraten, daß ihre Argumentation nur ideologische Funktion hat.

Das läßt sich exemplarisch an dem so einflußreichen theologischen Programm einer Entmythologisierung biblischer Texte zeigen. Bultmann faßte den Mythos als eine »Vorstellungsweise«[15] auf, die ihren Ausdruck besonders in einem »mythischen Weltbild« gefunden habe, das für den heutigen, durch wissenschaftliches Denken geprägten Menschen »vergangen« sei[16]. Das Spezifische der mythischen Vorstellungsweise suchte Bultmann nun nicht etwa in der Urzeitlichkeit oder in der gründenden Funktion des im Mythos Berichteten, sondern darin, daß der Mythos »vom Unweltlichen weltlich, von den Göttern menschlich« redet[17]. Bultmann meinte, daß bei ihm »also« in dem Sinne von Mythos die Rede sei, »wie die religionsgeschichtliche Forschung ihn versteht«[18]. Diese Erklärung wirkt zunächst, angesichts der gänzlichen Vernachlässigung der von Malinowski ausgehenden Diskussion des Mythosbegriffs, die in der neueren Religionswissenschaft stattgefunden hat, einigermaßen erstaunlich. Die religionsgeschichtliche Forschung, auf die Bultmann sich beruft, ist wohl die der sog. religionsgeschichtlichen Schule, aus der er selbst hervorgegangen ist. Zwar hat Bultmanns Lehrer W. Bousset ebenso wie H. Gunkel den Begriff des Mythos inhaltlich enger, nämlich als »Erzählung von den Göttern« verstanden[19]. Doch meinte Gunkel den spezifisch mythischen

15. Neues Testament und Mythologie (1941) in: Kerygma und Mythos, Bd. 1, Hamburg 1948, bes. S. 23.

16. Ebd. S. 14 ff., bes. 16 ff. und 23, Anm. 2.

17. Ebd. S. 23.

18. Ebd. S. 23, Anm. 2.

19. W. Bousset: Das Wesen der Religion dargestellt an ihrer Geschichte, Halle 1904, S. 77 ff., vgl. H. Gunkel: Genesis, 3. Aufl., Göttingen 1910, S. XIV.

Charakter der Göttergeschichten darin zu erkennen, daß »der naive Geist das Göttliche lebendig anschaut und sich phantasievoll ausmalt«[20]. Die geistige Wirklichkeit des Göttlichen wird hier versinnlicht, der Unterschied zwischen der irdischen Wirklichkeit und dem geistigen Wesen der Gottheit verwischt. Von solcher Betrachtungsweise her ist der Weg zu Bultmanns Charakteristik des Mythischen nicht allzu weit.

Der Ursprung dieser eigentümlichen Auffassung des Mythischen als einer primitiven Vorstellungsform dürfte mit Chr. Hartlich und W. Sachs bei dem Göttinger Altphilologen Chr. G. Heyne zu suchen sein. Heynes Theorie des mythischen Denkens als eines aller Poesie wie auch aller Historie und Philosophie der frühen Menschheit schon zugrunde liegenden »fundus« wird von ihnen treffend als Beschreibung der »Vorstellungs- und Ausdrucksweise« in der Kindheit des Menschengeschlechts, wie Heyne sagte, gekennzeichnet[21]. Sie weist eine Reihe von Merkmalen auf, die das mythische Denken von dem der reif gewordenen Menschheit unterscheiden: erstens mangelnde Einsicht in die wahren Ursachen der natürlichen und der psychischen Prozesse, zweitens die Unfähigkeit zu abstraktem Denken, drittens die damit einhergehende Erregbarkeit durch Sinneseindrücke. Aus der mangelnden Einsicht in die wahren Ursachen des Geschehens erklärte Heyne, daß primitives Weltverständnis alle Begebenheiten, insbesondere außergewöhnliche Vorkommnisse, auf das Eingreifen der Götter zurückführe. Aus der Unfähigkeit zur Abstraktion leitete er die personifizierende Darstellung der Verhältnisse von Ursache und Wirkung ab, aus der Erregbarkeit durch Sinneseindrücke – zumal im Hin-

20. H. Gunkel: Zum religionsgeschichtlichen Verständnis des Neuen Testaments, Göttingen 1903, S. 14. Eine gewisse Unbestimmtheit im Begriff des Mythischen zeigt sich bei Gunkel auch daran, daß er abweichend von seiner engeren Definition des Mythos gelegentlich auch solche Überlieferungen als mythisch klassifizieren konnte, die dem engeren Begriff des Mythischen als Göttergeschichte nicht genügen und wie die Paradiesesgeschichte, die Erzählung von der Sintflut oder die babylonische Adapa-Erzählung eher als Sage einzuordnen wären: Schöpfung und Chaos in Urzeit und Endzeit, 2. Aufl., Göttingen 1921, S. 148, spricht Gunkel vom »Paradiesesmythus«, obwohl er sonst für diese Erzählung auch das Wort Sage benutzt, S. 151 ff. vom Adapa-Mythus (vgl. Genesis, S. 29 ff., 38 ff.). In Gunkels Genesiskommentar wird auch die Sintflutsage gelegentlich als Mythos bezeichnet (S. 71, 73 ff.). Vielleicht wirkt in dieser terminologischen Unbestimmtheit die Vorstellung der Brüder Grimm vom Übergang der Mythen in Sagen nach. Außerdem mag solche Unbestimmtheit des Sprachgebrauches das Bedürfnis nach einer allgemeineren Charakteristik des Mythischen im Sinne einer primitiven Vorstellungsform mit veranlaßt haben.

21. Chr. Hartlich und W. Sachs: Der Ursprung des Mythosbegriffs in der modernen Bibelwissenschaft, Tübingen 1952, S. 13. Zum folgenden S. 14 ff.

blick auf seltene Ereignisse – die Neigung zum Wunderbaren und zu seiner Ausmalung durch Erinnerung und mündliche Überlieferung. Die so gekennzeichnete mythische Vorstellungsweise äußert sich nach Heyne sowohl in der Auffassung und Überlieferung tatsächlichen Geschehens (historische Mythen), als auch in der Reflexion auf natürliche und sittliche Gegebenheiten, die lediglich in die Gestalt einer Erzählung gekleidet wurden (philosophische Mythen). Die Unterscheidung zwischen historischen und philosophischen Mythen ist für Heyne und besonders für die ihm folgende mythische Schule in der Theologie fundamental gewesen. Wo ein historischer Mythos vorlag, konnte der Tradition wenigstens ein Ausgangspunkt im tatsächlichen Geschehen zugestanden werden, während beim philosophischen Mythos die Erzählung nur sekundäre Darstellungsform des durch sie ausgedrückten Gedankens ist.

Die Gesichtspunkte Heynes sind von J. G. Eichhorn und J. Ph. Gabler zunächst auf das Alte Testament und hier besonders auf die ersten Kapitel der *Genesis* angewendet worden. Unschwer konnte hier die unmittelbare Zurückführung von Naturerscheinungen wie der des Regens und von unerwarteten seelischen Vorkommnissen wie Träumen auf das Eingreifen Gottes als mythisch im Sinne Heynes dargetan werden. Da weiter »in der Sprache ungebildeter Völker Gedanken als Reden und Unterredungen mit den Dingen vorgetragen« werden, die solche Gedanken hervorrufen[22], so redet nicht nur Gott im Traum zum Menschen oder fragt Kain nach seinem Bruder Abel, sondern auch die Paradiesesschlange wird als redend vorgestellt und so personifiziert. So darf man denn auch ganz allgemein von der biblischen Darstellung »mehr sinnliche Vorstellung und Sprache, mehr Gemälde und Dichtung als nackte Geschichte und abstrakte Vorstellung und Sprache erwarten ...«[23]. Ferner wurde das mit der Erzählung verbundene »Räsonnement« von den Tradenten, »orientalischer« Eigenart entsprechend, als Bestandteil des Geschehens selbst dargestellt: »Das Faktum und die Art, sich das Faktum zu denken, floß bei dem Morgenländer in ein unzertrennliches Ganzes zusammen«[24]. Diese Betrachtungsweise wurde noch von Eichhorn und Gabler selbst auf das Neue Testament übertragen[25], obwohl man damit die von Heyne angenommene

22. J. G. Eichhorn: Urgeschichte, hg. von J. Ph. Gabler, Bd. 3, 2. Aufl., Altdorf/Nürnberg 1973, S. 173, auch S. 154, vgl. Hartlich-Sachs, aaO S. 27 ff.

23. Eichhorn, aaO Bd. 1, 1790, S. 4.

24. Gabler: Neuestes theologisches Journal (1798), S. 239, zitiert bei Hartlich-Sachs, aaO S. 67.

25. Dazu siehe Hartlich–Sachs, aaO 61 ff.

Bindung des Mythischen an das vorliterarische Stadium der Völkergeschichte vernachlässigte. Entscheidend für die Ausweitung auf das Neue Testament war die Analogie in der Vorstellungsweise. Dabei hat Corrodi schon 1794 auch die eschatologischen Vorstellungen des NT mit zu dessen mythischen Bestandteilen gerechnet, weil die Endgeschichte ebenso wie die Urgeschichte anschaulich-bildhaft dargestellt sei[26].

Diese Auffassung vom Mythischen, in der David Humes Auffassung von den Anfängen der Religion nachwirkt[27], obwohl dieser noch nicht den Mythosbegriff zur Charakteristik benutzte, ist sowohl in die Mythenkritik von D. F. Strauß als auch in Bultmanns Begriff des Mythischen eingegangen. Nur ersetzt Bultmann bewußt den der Auffassung Heynes entsprechenden Gedanken, daß der Mythos unanschauliche (abstrakte) Sachverhalte anschaulich darstelle, durch die Formel, der Mythos rede »vom Unweltlichen weltlich, von den Göttern menschlich«[28]. Darin äußert sich, daß Bultmann als dialektischer Theologe durchaus mit einer unweltlichen, göttlichen Wirklichkeit rechnet, die aber dem Menschen und seiner Welt als deren Krisis entgegengesetzt ist und somit gerade nicht »in den Kreis der bekannten Welt, ihrer Dinge und Kräfte, und in den Kreis des menschlichen Lebens, seiner Affekte, Motive und Möglichkeiten« einbezogen werden sollte, wie es das mythische Denken tut. Bultmann hat also den von Heyne stammenden Begriff des Mythischen aufgegriffen als Gegenbegriff zu seinem eigenen Verständnis der Wirklichkeit Gottes. Der Heynesche Begriff des Mythischen erlaubte ihm, jeden andern als den ganz andern Gott der dialektischen Theologie, jede Verbindung des Göttlichen mit Welt und Mensch als Ausdruck der überlebten Geistesart einer vorwissenschaftlichen Denkform abzuweisen. Dabei stimmt Bultmann mit Heyne darin ganz überein, daß der Begriff des Mythischen nicht in erster Linie bestimmte einzelne Mythen, sondern die ihnen zugrunde liegende Vorstellungsweise, die Bewußtseinsverfassung einer noch nicht von der modernen Wissenschaft berührten Menschheit bezeichne. Für Bultmann wie schon für Heyne ist diese Bewußtseinsverfassung negativ gekennzeichnet durch mangelnde Kenntnis von den Kräften und Gesetzen der Natur. Dem entspricht positiv der Glaube an das unmittelbare Eingreifen übernatürlicher Mächte in den Ablauf des Geschehens, besonders

26. Ebd. S. 55.

27. Ebd. S. 169 ff.

28. Kerygma und Mythos, Bd. 1, S. 23. Siehe dazu Bultmanns Bemerkung in seiner Antwort an J. Schniewind ebd. S. 135.

der Wunder- und Dämonenglaube[29]. Umgekehrt gelten die mythischen Vorstellungen Bultmann wie einst Heyne für durch die moderne Wissenschaft »erledigt«.

Bultmann und die von ihm ausgegangene Entmythologisierungsdebatte folgen also dem von Schelling als ›allegorisch‹ klassifizierten Mythosbegriff Heynes. Die neuere, an der urzeitlich-fundierenden Funktion des Mythos orientierte religionswissenschaftliche Begriffsbildung ist hier nicht zur Kenntnis genommen worden. Das spezifische Phänomen des Mythos, das erst durch die von romantischen Assoziationen befreite Kategorie des Urzeitlich-Fundierenden in den Blick gekommen ist, wird in der Auseinandersetzung um die sogenannte Entmythologisierung gar nicht wahrgenommen. Mit dieser Feststellung soll nicht das Gewicht der unter diesem Stichwort geläufigen Auseinandersetzungen bestritten werden. Nur soviel muß festgestellt werden: Es handelt sich dabei nicht um einen Streit über die Gültigkeit oder Ungültigkeit dessen, was die neuere Religionswissenschaft als Mythos kennengelernt hat. Es handelt sich vielmehr um die Gültigkeit oder Ungültigkeit gewisser vorneuzeitlicher und vorwissenschaftlicher Denk- und Vorstellungsformen. Von dieser Auseinandersetzung mag der Mythos als religionswissenschaftliches Phänomen mitbetroffen sein, soweit er sich als gebunden an derartige Vorstellungsformen erweisen sollte. Doch das ist ein noch kaum diskutiertes Thema. Jedenfalls ist die Thematik des irreführenderweise als Entmythologisierung bezeichneten Programms sehr viel umfassender. Die hermeneutische Aufgabe der Übersetzung überlieferter Sachverhalte aus einer vorwissenschaftlichen Weltauffassung in ein durch die moderne Wissenschaft geprägtes Verständnis der Wirklichkeit betrifft viele Themen, die gar nicht im religionswissenschaftlichen Sinne zum Bereich des Mythischen gehören. Um diese Aufgabe aber geht es bei der sogenannten Entmythologisierung. Die stereotypen Gegenüberstellungen der Struktur angeblich ›mythischer‹ Vorstellungen zur Erkenntnis der wahren Ursachen, Kräfte und Gesetze der

29. Kerygma und Mythos, Bd. 1, S. 15 ff. Anders als Heyne kann Bultmann das Mythische allerdings durch ein bestimmtes Weltbild charakterisieren, das den mythischen Vorstellungen zugrunde liege (S. 15 ff.). Dagegen hat K. H. Bernhardt mit Recht eingewendet, weder müsse ein ›dreistöckiges‹ Weltbild immer mythisch sein (so auch Bultmann selbst in: Kerygma und Mythos, Bd. 2, Hamburg 1952, S. 183, Anm. 2), noch sei umgekehrt das Weltbild der Mythen immer dreistöckig. »So lag z. B. nach der ältesten ägyptischen Jenseitsvorstellung das Totenreich im Westen und nicht in der Unterwelt« (Bemerkungen zum Problem der ›Entmythologisierung‹ aus alttestamentlicher Sicht, in: Kerygma und Dogma 15 [1969], S. 193–209, Zitat 197).

Natur von Heyne bis Bultmann lassen erkennen, daß es sich hier um einen Gegenbegriff zum Weltverständnis der modernen, durch Galilei und Newton begründeten und heute als ›klassisch‹ bezeichneten Naturwissenschaft handelt. Dieser Gegenbegriff einer mythischen Bewußtseinsverfassung sollte allerdings ursprünglich keine polemische, sondern hermeneutische Funktion haben. Er sollte die Eigenart der Auffassung von der Wirklichkeit, die sich in den ältesten religiösen und literarischen Überlieferungen der Menschheit bekundet, dem Verständnis erschließen. Doch diente und dient dieser Begriff des Mythischen faktisch weniger einem Sich-Öffnen des gegenwärtigen, durch Wissenschaft aufgeklärten Zeitalters für das Eigentümliche jener längst entschwundenen Wirklichkeitserfahrung, sondern viel eher der *Entlastung* der endlich zur wahren Naturerkenntnis gelangten Menschheit von den Ansprüchen der als ›mythisch‹ und also als überholt klassifizierten Überlieferungen. Indem diese im Sinne Heynes als mythisch beschrieben wurden, hörten sie zugleich auf, durch ihre sonderbaren Behauptungen eine aufgeklärte Menschheit zu beunruhigen. Man hatte es in jenen Sonderbarkeiten ja nur mit dem Ausdruck einer nunmehr glücklich überwundenen, unzulänglichen Stufe der Naturerkenntnis zu tun. Die Funktion solcher Entlastung hat der Mythosbegriff auch bei Bultmann behalten. Trotz seiner nachdrücklichen Versicherung, es gehe ihm nicht darum, den Mythos zu eliminieren, sondern darum, ihn zu interpretieren[30], handelt es sich bei Bultmann doch um eine Interpretation, die die »mythische« Form abstreift, indem sie sie als Ausdruck eines auch unmythologisch darzustellenden Selbstverständnisses auffaßt. Der Mythosbegriff dient hier der Befreiung der christlichen Überlieferung von denjenigen Zügen, die mit einem an der modernen Wissenschaft orientierten Welt- und Selbstverständnis unvereinbar zu sein scheinen.

Daß der ›Mythos‹ durch solche Interpretation faktisch eliminiert wird, hängt mit dem von Schelling als ›allegorisch‹ charakterisierten Strukturzug dieser Auffassung zusammen: Indem sie die als ›mythisch‹ bezeichnete Denkform nicht für etwas unreduzierbar Eigentümliches, sondern als Ausdruck für etwas anderes, z. B. für Naturvorgänge, – und insofern als Allegorie[31] – nimmt, hat sie schon dieses andere an die Stelle der vermeintlich ›mythischen‹ Vorstellung gesetzt. Das Mißliche eines solchen

30. Kerygma und Mythos, Bd. 1, S. 25.

31. Zwar hatte Heyne selbst sich gegen die Deutung der Mythen als (bewußte) Allegorie gewehrt und dem sein Konzept der unwillkürlich wirkenden Vorstellungsweise entgegengesetzt. Aber in einem tieferen Sinne ist doch auch diese allegorisch, sofern sie Sachverhalte anders auffaßt als sie von sich aus sind.

Verfahrens besteht darin, daß als ›mythisch‹ gekennzeichnete Vorstellungen und Phänomene dann nicht mehr auf das ihnen als solchen zukommende Eigengewicht, auf die ihnen eigentümliche Wahrheit, befragt werden können. Das ist um so bedenklicher als, wie wir sahen, dieser Mythosbegriff unter dem Titel des Mythischen vieles mitumfaßt, was im religionswissenschaftlichen Sinne gar nicht als Mythos oder mythisch anzusprechen ist, aber wegen dieser Klassifizierung in seiner Eigenart gar nicht mehr thematisiert wird. So besteht insbesondere Anlaß zu dem Verdacht, daß unter dem Etikett des ›Mythischen‹ bestimmte Grundzüge der religiösen Thematik überhaupt als mit moderner Wissenschaft unvereinbar abgeschrieben werden, ohne daß sie als solche noch erörtert würden. Dazu gehört vor allem die Annahme göttlicher Eingriffe in den Lauf des Geschehens, eine Annahme, die für jedes – auch für ein nicht im religionswissenschaftlichen Sinne mythisches – religiöse Weltverständnis und sogar noch für das Gottesverständnis der dialektischen Theologie selbst, sofern ihr Gott nicht nur Gegensatz zur Welt ist, sondern sich ihr auch als ihr Heil offenbart, fundamental ist und keineswegs in sämtlichen ihrer möglichen Ausprägungen dem modernen Postulat der Unverbrüchlichkeit der Naturgesetze widerstreiten muß[32]. Kann das Unweltliche denn seine Wirklichkeit anders bekunden als so, daß es innerweltlich in Erscheinung tritt? Ist nicht gerade die Behauptung purer Transzendenz des Göttlichen problematisch? Wenn aber die religiöse Thematik nicht schlechthin im Namen moderner Wissenschaft als antiquiert abgewiesen werden kann, erhält dann nicht vielleicht auch der echte Mythos aufs neue Anrecht und Chance, auf sein Eigengewicht geprüft statt zusammen mit vielerlei heterogenen Sachverhalten pauschal für erledigt erklärt zu werden?

32. Alle Begebenheiten und zumal besonders auffällige und außergewöhnliche Ereignisse auf das Eingreifen von Göttern zurückzuführen, setzt weder in jedem Falle Unkenntnis der wahren Beziehungen von Ursache und Wirkung voraus, noch wird es als Folge solcher Unkenntnis verständlich. Vielmehr äußert sich in solcher Sehweise die religiöse Grunderfahrung, die die einzelne Begebenheit nicht nur in ihrer Verknüpfung mit andern endlichen Ereignissen und Bedingungen, sondern in ihrem Bezug zu den die Wirklichkeit im ganzen bestimmenden ›Mächten‹ wahrnimmt. Ohne dieses spezifisch religiöse Motiv vermag auch Unkenntnis der wahren Ursachen nicht die Zurückführung irgendwelcher Ereignisse auf eine göttliche Macht zu erklären.

III.

Viel eher als alle Theorien, die Mythisches als vorneuzeitliche Vorstellungsweise für heutzutage auch unmythisch zugängliche Sachverhalte ausgeben, vermag die poetische Deutung des Mythos seiner Eigenart gerecht zu werden und ihm wenigstens die Möglichkeit eines bleibenden oder doch jedenfalls die Gegenwart angehenden Eigenwertes zuzuerkennen. Die an der griechischen Verbindung der Mythen mit den Dichtern, besonders mit Homer und Hesiod, orientierte Auffassung, die in ihnen Schöpfungen der poetischen Phantasie erblickt, gibt den Mythen Anteil an einem geistigen Reich, in dem mit anderen Maßstäben als denen der Welterkenntnis gemessen wird. Die befreiende und erhebende Wirkung der künstlerischen Inspiration bleibt weitgehend unberührt vom Wandel der Welterkenntnis. Das für die Auffassung des Mythischen in der deutschen Klassik und Frühromantik exemplarische Werk von K. P. Moritz betonte, daß die mythologischen Dichtungen als »eine Welt für sich ... aus dem Zusammenhange aller wirklichen Dinge herausgehoben« sind[33]. Für diese Auffassung ist die ideelle Wahrheit der Mythen aller geschichtlichen Bedingtheit enthoben. Der Mythos wird daher nicht festgelegt auf eine überholte Vorstellungsform der ›Kindheit des Menschengeschlechts‹[34]. Die Deutung

33. Götterlehre oder mythologische Dichtungen der Alten, 2. Aufl., Berlin 1795, S. XCIII. Der junge Schelling rühmte Moritz das Verdienst nach, er habe es als erster unter den Deutschen unternommen, *die Mythologie in dieser ihrer poetischen Absolutheit darzustellen* (Philosophie der Kunst, 1802, Bd. 5, S. 412).

34. Eine instruktive Zwischenstellung nimmt in dieser Frage Herder ein. Zwar wollte er wie sein Freund Heyne das mythische Denken mit der Geschichte, und zwar mit der Frühzeit der Menschheit verbinden. Herder wie Heyne sind in diesem Punkt Vorläufer der späteren romantischen Auffassung vom Mythos als Überlieferung aus der Urzeit des Menschengeschlechts gewesen. Darin ist auch Creuzer der Schüler Heynes geblieben. Aber während sich bei Heyne mit dieser Zuweisung des Mythos an die Anfänge der Menschheitsgeschichte die Meinung verband, daß das mythische Denken für die Gegenwart überholt und abgetan sei, war schon Herder an der gegenwärtigen Relevanz der mythischen Überlieferung interessiert. Daher sein Desinteresse an der kritischen Frage nach der historischen Faktizität des ›mythisch‹ Überlieferten; (dazu vgl. Hartlich-Sachs, aaO S. 48 ff.). Der Geschichtsbezug des Mythos interessierte ihn nur im Hinblick auf seine Herkunft aus der Überlieferung, um deren gegenwärtige Relevanz es ihm ging. Diese spezifisch theologische Einstellung ist exemplarisch deutlich an Herders Stellung zu den Sagen des Alten Testaments. Die gegenwärtige Relevanz der ›Mythen‹ aber wurde eben durch ihre poetische Qualität gesichert. Darum beharrte Herder darauf, *daß Dichter und kein anderer die Mythologie erfunden und bestimmt haben* (Kritische Wälder I, 11,

des Mythos als Dichtung bringt nicht wie die ›allegorische‹ seinen modernen Interpreten in Gegensatz zu seinem Gegenstand, sondern drückt eine Wahlverwandtschaft mit ihm aus. Das gilt für die Erneuerung dieser Auffassung durch H. Blumenberg[35] noch ebenso wie für Moritz, Friedrich Schlegel oder den jungen Schelling. Neu ist allerdings der Akzent, den die poetische Deutung des Mythos bei Blumenberg erhält, da sie nicht mehr so unmittelbar wie bei Moritz oder Schelling auftreten kann, sondern nur im Rückgriff über eine andere, inzwischen aufgekommene Auffassung des Mythos hinweg, die in der modernen Religionswissenschaft und Kulturanthropologie seine poetische Deutung verdrängt hat, nämlich gegen die religiöse Deutung des Mythos als Ausdruck des Bewußtseins von der fortwirkenden Aktualität gründender Urzeit. Blumenberg geht auf diese empirisch begründete Phänomenologie des mythischen Bewußtseins kaum ein[36], aber die ihr entgegengesetzte Zielrichtung seiner Darlegungen fin-

Herder's Werke, hg. von H. Düntzer – G. Heimpel, Berlin o. J., Bd. 20, S. 70). Die Ideen zur Philosophie der Geschichte der Menschheit stellen die Mythologie dar als Produkt der Einbildungskraft, wobei *die Mythologie jedes Volkes* als *ein Abdruck der eigentlichen Art, wie es die Natur ansah*, galt (Ideen zur Philosophie der Geschichte der Menschheit 8, 2, 4, Herder. Ausgewählte Werke in Einzelausgaben, hg. H. Stolpe, Berlin 1965, Bd. 1, S. 298). Die Phantasie erklärt *das Rätsel des Gesehenen durchs Nichtgesehene* (ebd. 296). An dieser Stelle kommt Herder dem Gedanken Heynes nahe: *Wo irgend Bewegung in der Natur ist, wo eine Sache zu leben scheint und sich verändert, ohne daß das Auge die Gesetze (!) der Veränderung wahrnimmt, da höret das Ohr Stimmen und Rede, die ihm das Rätsel des Gesehenen durchs Nichtgesehene erklären.* Doch auch hier werden solche Produkte der Einbildungskraft nicht einfach zu überholten Vorstellungen erklärt. Die Phantasie hat vielmehr teil an der Wahrnehmung des Unsichtbaren im Sichtbaren, in der Herder *eine Art religiösen Gefühls unsichtbarer wirkender Kräfte* (S. 374) erkennt, das aller Bildung von Vernunftideen schon vorausgehen müsse. Kultur und Wissenschaft waren daher *ursprünglich nichts als eine Art religiöser Tradition* (S. 373). Herder streift mit solchen Gedanken schon an die romantische, religiöse Konzeption des Mythos, besonders durch seine Betonung der Rolle der Tradition für die Geschicke der Menschheit und der religiösen Tradition als der ältesten und heiligsten, deren Sprache *meistens von den Sagen der Urwelt ausgeht, mithin das einzige ist, was diese* (›wilden‹) *Völker von alten Nachrichten, dem Gedächtnis der Vorwelt oder einem Schimmer der Wissenschaft übrig haben* (S. 373). Doch Herders Reden von Mythologie und Sage behält etwas Schwebendes – zwischen der Heyneschen Vorstellungsform, dem poetischen und dem religiösen Begriff des Mythos, – weil es Herder auf Präzision hier gar nicht ankam.

35. Siehe H. Blumenberg, Wirklichkeitsbegriff und Wirkungspotential des Mythos in: Terror und Spiel. Probleme der Mythenrezeption, 1971, S. 15 ff.

36. Erwähnung findet nur eine durch Cassirer und Freud belegte Deutung des Mythos als Terror, in der Blumenberg (S. 14) die Alternative zur poetischen Deutung erblickt. Es mag dahingestellt bleiben, ob die für Freud vielleicht zutreffende Kennzeichnung des

det darin ihren Ausdruck, daß dem Mythos geradezu die *Überwindung* des urzeitlich orientierten Bewußtseins zugeschrieben wird. Er soll »nicht das Anfängliche, sondern die gegen dieses sich erhebende Befreiung« dokumentieren[37]. Bezeichnend für die damit vollzogene Umkehrung des Schrittes von der poetischen zur religiösen Deutung des Mythos ist es, wie Blumenberg eine Formulierung Fr. Creuzers aufgreift und gegen dessen Intention wendet: Während Creuzer über die poetische Deutung des Mythos durch Klassik und Frühromantik hinaus die Beachtung der ursprünglich religiösen Eigenart der Mythen forderte und daher beklagte, »daß durch die poetische Mythik der Griechen der höchste Ernst grauer Vorzeit in ein freies Spiel der Phantasie ausgeartet« sei, nimmt Blumenberg – die »religiöse Betrachtungsart« Creuzers nur mit einem Seitenblick streifend – diese Formulierung zum Anlaß, die Verwandlung des Ernstes der Vorzeit in ein freies Spiel der Phantasie zum Wesen des Mythos zu erklären[38]. So kommen denn freilich überhaupt nur noch ›Späthorizonte‹ des Mythos unter dem Namen des Mythischen in den Blick, wie etwa das homerische Epos, während die Wurzeln solcher Dichtung in ›Göttergeschichten‹ nur noch als ›Stoff‹ gelten, der längst in Geschichten aufgegangen sei. Müssen in solcher Perspektive nicht gerade die literarischen Späthorizonte der mythischen Überlieferung unverständlich werden, weil das Problem verschwindet, wie Mythisches überhaupt zu Literatur werden konnte? Solange die Entdeckung mythisch-kultischer Hintergründe einer mythologisch durchsetzten Poesie nicht einfach wieder vergessen werden kann,

Mythos als Terror der Auffassung Cassirers gerecht wird. Bei beiden Autoren kommt die empirische Mythenforschung, wie sie durch Malinowski und die an ihn anschließende Diskussion repräsentiert ist, nur in sehr eingeschränkter Weise zum Zuge, nämlich nur so, wie es die Einordnung in den durch eine andere Thematik bestimmten, hier philosophischen, dort psychologischen Systementwurf zuläßt. Die religionswissenschaftliche oder kulturanthropologische Mythenforschung selbst wird von Blumenberg nicht berücksichtigt. Dabei würde sich schnell zeigen, daß das Selbstverständnis des an urzeitlichen Vorbildern sich orientierenden mythischen Bewußtseins keineswegs allein oder maßgeblich durch eine Erfahrung von ›Terror‹ geprägt ist, schon gar nicht im Hinblick auf das, was in den Mythen zur Sprache kommt. Es geht im Mythos vielmehr um die das schreckenerregende Chaos überwindende Ordnung, die in urzeitlichem Geschehen begründet gedacht wird. Das diese Orientierung begründende Geschehen ist wiederum auch nicht der »schwebenden Freiheit« (Blumenberg, S. 14) des Poetischen überantwortet, sondern gilt im Unterschied zu Märchen und Legende als Wahrheit (B. Malinowski: Myth in Primitive Psychology, New York 1926, S. 28, vgl. H. Baumann in Studium Generale 12 [1959], S. 1 ff.).

37. H. Blumenberg, aaO S. 15.

38. Ebd. zu Fr. Creuzers Symbolik.

hilft es nichts, den Begriff des Mythischen auf die letztere einzuschränken, um so die klassische, poetische Deutung des Mythos zu erneuern[39]. Mag auch diese gegenüber der archaisierenden Tendenz der neueren Mythosforschung den Vorzug haben, dem Mythischen literarische Aktualität zu sichern, so ist doch das Interesse an der fortdauernden literarischen Wirksamkeit und Erneuerung mythischer Motive nicht auf Kosten der histori-

39. Auch diese läßt sich übrigens dem »dogmatischen« Charakter der angeblich auf das alttestamentliche »Namen- und Bilderverbot« zurückweisenden christlichen Orthodoxie keineswegs so idealtypisch entgegensetzen, wie das bei Blumenberg (bes. S. 11 ff.) geschieht. Den Reichtum an Variationen der biblischen Sagenüberlieferung zeigt jeder moderne Kommentar zur Genesis. Auch das freie Wuchern der urchristlichen Jesusüberlieferung ist weit entfernt von einer »Unantastbarkeit der Formel« (s. 13). Und noch die Kirchengeschichte, die in der Tat die »Unantastbarkeit der Formel« hervorgebracht hat, kennt daneben die nie versiegende Vielfalt theologischer Entwürfe. Sie haben allerdings nicht mehr den Sinn eines freien Spiels, sondern den des Kampfes um die eine Wahrheit. Immerhin hat es auf dem Höhepunkt der poetischen Deutung des Mythos, in der Frühromantik, auch den Versuch einer analogen Deutung der Theologie gegeben. W. M. L.de Wette hatte schon in seinen »Beiträgen zur Einleitung in das AT«, Halle 1807, den Versuch unternommen, auf der Linie Herderscher Gedanken den Pentateuch als ein religiöses Epos zu deuten, und zehn Jahre später nahm er in seiner Schrift »Über Religion und Theologie« (2. Aufl., Berlin 1821) den Begriff des Mythos zum Anlaß einer Neufassung des alten Themas der Bildlichkeit aller religiösen Vorstellungen (S. 199). Die ganze dogmatische Lehrüberlieferung wurde von de Wette in diesem Sinne als mythisch dargestellt. Die Bedeutung dieser Auffassung des Mythos für die Evangelienkritik von D. F. Strauß ist von Hartlich und Sachs mit Recht betont worden (aaO S. 91 bis 120, vgl. S. 135). Erst de Wettes Auffassung des Mythos als freie Dichtung machte es möglich, ganze Erzählungskomplexe als Produkte mythenbildender Phantasie darzustellen, während die ›mythische Schule‹ Heynes bei Vorliegen eines ›historischen‹ Mythos immer nach den historischen Gegebenheiten fragen mußte, die in der Form der altertümlichen mythischen Vorstellungsweise zur Darstellung gekommen sind. Daß de Wette nicht von Heyne, sondern von der poetischen Deutung des Mythos her zu verstehen ist, wird bei Hartlich und Sachs verkannt. Es ist jedoch aufschlußreich, daß de Wette in seiner Schrift »Über Religion und Theologie« Heyne überhaupt nicht erwähnt, sondern sich auf Herder beruft (2. Aufl., Berlin 1821, s. 68 und 77). Ganz im Gegensatz zu Heynes Erklärung mythischen Vorstellens mit der Schwäche des noch dem Sinnlichen verhafteten Geistes erklärt de Wette: »Wo aber der Glaube selbst noch am Sinnlichen haftet, wird die Mythologie ihre Selbständigkeit nicht behaupten können und ihren Spielraum beengt finden, denn durch ihre freie Behandlung wird das Heilige entweihet zu werden scheinen« (S. 90 ff.). Von den Voraussetzungen Heynes und der mythischen Schule her wäre Strauß' Schritt zur ›totalmythischen‹ Deutung des Neuen Testaments nicht möglich gewesen. Allerdings hat Strauß aber de Wettes Gedanken der poetischen Produktivität der mythenbildenden Phantasie mit Heynes Beurteilung des Mythischen als einer überholten Vorstellungsweise verbunden. Die Sprengkraft dieser Mischung bildete den Treibsatz der radikalen Evangelienkritik.

schen und ethnologischen Gegebenheiten zu befriedigen. Es gilt vielmehr, den Übergang vom kultbezogenen Mythos zur Freigabe seiner Motive für literarischen Gebrauch und umgekehrt die vielfach gebrochenen Verbindungen zwischen freien poetischen Schöpfungen und mythischen Ursprüngen zu verstehen. Die Zweideutigkeit mythologischer Anspielung, die auch antithetisch gegen den Sinn der ursprünglichen Form des Mythos gewendet sein kann[40], könnte sodann einen Boden für die Erörterung auch des im Bereich literarischer Freiheit geschaffenen ›neuen Mythos‹ abgeben. Das Bewußtsein der vorliterarischen Natur des ursprünglichen Mythos bildet dabei eine Folie, von der sich die eigentümlichen Züge des nun als dichterische Schöpfung auftretenden ›neuen Mythos‹ und seine Problematik um so schärfer abheben.

Schelling hat in seiner späten Philosophie der Mythologie sowohl der ›allegorischen‹ als auch der poetischen Deutung des Mythos, der er selbst früher gefolgt war, entgegengehalten, daß sie den Mythos nicht als Wahrheit gelten lassen[41]. Die ›allegorische‹ Auffassung, wie Schelling sie bei Heyne und Hermann fand, nimmt die mythische als Ausdruck für etwas von ihrer Intention ganz Verschiedenes, etwa für Naturvorgänge. Der Mythos behält hier keine *eigene* Wahrheit. Die mythische Sprache wird als uneigentliche Rede behandelt. Anders die poetische Auffassung. Sie läßt die Mythologie *in ihrer Universalität unangetastet*[42] und nimmt der mythischen Sprache nicht ihren eigentlichen Sinn. Aber sie behandelt den Mythos als *Erfindung*, sei es als Erfindung einzelner Dichter oder eines anonymen Volksgeistes[43]. Schellings hauptsächliches Argument gegen diese Auffassung ist – wie schon bei Heyne (vgl. Anm. 43) – der Hinweis auf die Abhängigkeit dichterischer Erfindung von einem ihr schon vorliegenden Stoff, den sie variiert[44] und der auch nicht als Schöpfung

40. So in der Religionsgeschichte überall dort, wo Attribute und Mythen einer Gottheit von einer anderen usurpiert wurden.

41. AaO Bd. 6, S. 68 ff., vgl. S. 12, 28 ff.

42. Ebd. S. 28.

43. Nach Schelling kommt die poetische Deutung darin mit der ›allegorischen‹ überein. Doch hat sich Heyne ausdrücklich gegen die Auffassung gewendet, daß der mythische Ausdruck auf poetischer Erfindung beruhe. Vielmehr sei er schon vorausgesetzt als *fundus* poetischer Gestaltung (Sermonis mythici sive symbolici interpretatio etc., Commentationes Societatis Regiae Scientiarum Gottingensis, Bd. 16 [1807], S. 194). Nur in einem weiteren Sinne ließe sich hier dennoch von Erfindung sprechen, nämlich im Hinblick darauf, daß der mythische Ausdruck nach Heyne ja nicht der Natur der gemeinten Sachverhalte entspricht.

44. AaO Bd. 6, S. 27, vgl. 19 ff., 58 ff.

einer Volkspoesie verständlich wird, weil vielmehr umgekehrt das einzelne Volk selbst nicht ohne seine charakteristische Mythologie vorstellbar ist[45]. Auch die Verschiebung in die Anonymität des Volksgeistes vermag also die These vom poetischen Ursprung der Mythologie nicht zu retten. Über Schellings Argumentation hinausgehend läßt sich vermuten, daß vielmehr umgekehrt die fortdauernde Bedeutung mythischer Stoffe für die Poesie auch damit zusammenhängen mag, daß sie eine geistige Dimension repräsentieren, die der subjektiven Erfindung des Dichters vorausliegt und dennoch Anreiz zu schöpferischer Deutung wird und ihr zugleich Raum gibt. Im Vergleich damit wird erst die Besonderheit der modernen Versuche zur Schaffung eines ›neuen Mythos‹ durch den Dichter selbst auffällig. Die poetische Deutung des Mythos könnte darin lediglich eine exemplarische Darstellung der Entstehung von Mythen überhaupt erblikken. Das eigentümliche Pathos jedoch, mit dem ein Majakowski als Sprecher einer seine Subjektivität übersteigenden, höheren Wirklichkeit auftritt, muß ihr ebenso entgehen wie die Problematik, die darin liegt, daß diese höhere Wirklichkeit doch zugleich als Schöpfung der Subjektivität des Dichters gewußt wird, so daß das Pathos des ›neuen Mythos‹ nur so durchzuhalten ist, daß der Dichter sich selbst als Propheten begreift, der als Inspirierter redet. Diese spezifische Problematik des ›neuen Mythos‹ spricht gegen die These, die in der dichterischen Freiheit den normalen Ursprung von Mythen sucht. Der ›neue Mythos‹ dürfte sich kaum als Beispiel dafür eignen, wie überhaupt Mythen aus dichterischer Imagination entstehen, sondern eher findet in ihm die moderne Problematik der Subjektivität einen zugespitzten Ausdruck: der Widerspruch, in den sich das Bedürfnis verstrickt, die Subjektivität und ihre Freiheit in einer sie übersteigenden Wahrheit zu begründen, um so die Beliebigkeit und Unbeachtlichkeit des bloß Subjektiven zu überwinden. Dieses Bedürfnis scheint sich angesichts des Verblassens der Traditionen, aus denen sich ehemals das Selbstbewußtsein motivierte, nur noch als Setzung der sich transzendierenden Subjektivität selbst artikulieren zu können, und dadurch sinkt das Bemühen um eine die Subjektivität übersteigende und so begründende Wahrheit wieder in sich zusammen. Es fällt auf die pure Subjektivität des Dichters zurück, die es doch überwinden und so in eine gehaltvolle verwandeln sollte. Der Dichter des neuen Mythos tritt in die Leerstelle ein, die durch den Verfall der mythischen und religiösen Überlieferungen entstanden ist. Aber kann er aus der schöpferischen Kraft seiner Imagination

45. Ebd. S. 66 ff.

substituieren, was einst die Substanz war, die im Geist des Dichters ihre Modifikationen erfuhr? Schellings Einwand, daß die poetische Deutung des Mythos diesen seiner Wahrheit beraube, indem sie ihn als bloße Erfindung des Dichters ausgibt, erfährt eine im Gesichtskreis Schellings noch nicht vorgesehene Bestätigung dadurch, daß der Dichter vergeblich die Wahrheit des Mythos zu restituieren sich bemüht. Oder hat die Vergeblichkeit des Programmatischen hier nicht das letzte Wort? Enthält die Erfahrung der Inspiration eine Wahrheit, die über den Stand der philosophischen Reflexion der Probleme der Subjektivität hinausführt? Solche mögliche Wahrheit der poetischen Erfahrung selbst würde aber gerade dann wieder verdeckt, wenn der ›Mythos‹, der im Wort des Dichters Gestalt gewinnt, nur als Schöpfung seiner Subjektivität aufgefaßt wird. Die poetische Deutung des Mythos gerät somit in den Verdacht, die Wahrheit der Dichtung selbst zu verstellen. Nicht nur dem Mythos, sondern auch der Poesie scheint das religiöse Verständnis des Mythos eher gerecht zu werden als das poetische.

IV.

Die literarische Aktualität mythischer Stoffe und Kategorien wirft die Frage nach dem Verhältnis von Christentum und Mythos in neuer Weise auf. Sie läßt sich nicht mehr einschränken auf die Entstehungsbedingungen der christlichen Überlieferungen in einer durch überholte Vorstellungsform gekennzeichneten Bewußtseinswelt. Vielmehr stellt sich die Frage, wie unter den Bedingungen eines durch das Christentum geprägten Überlieferungsprozesses mythische Stoffe und Kategorien fortwirken konnten. Bekundet sich im Gebrauch mythischer Stoffe und Ausdrucksformen, besonders aus der griechischen und römischen Mythologie, durchweg eine Opposition gegen den dogmatischen Geist des Christentums? Oder ist im Gegenteil das Christentum selbst mythologisch, so daß christliche und außerchristliche Stoffe, soweit sie sagenhaften oder religiösen Charakter haben, insgesamt als ›mythologisches‹ Arsenal der Literatur zu betrachten wären? Ein Verfahren im letzteren Sinne scheint einen so weiten und unbestimmten Gebrauch des Begriffs Mythos zu implizieren, daß es, so verbreitet es sein mag, nichtssagend wird. Doch von dem bestimmteren religiösen Begriff des Mythos her, der sich aus den bisherigen Erörterungen nahelegt, stellt sich erst recht die Frage, ob das Christentum selbst als mythisch zu beurteilen ist und, wenn nicht, wie dann das Fortwirken und die Neubildung mythischer Motive im christlichen Überlieferungsbereich zu verstehen sind. Die folgenden Erwägungen können nicht den ganzen Umfang dieser Problematik abschreiten. Insbesondere gehen sie nicht auf die literaturgeschichtlichen Detailfragen ein, die hier zu erörtern wären. Sie beschränken sich auf die prinzipiellen Grundzüge der Frage nach dem Verhältnis von Christentum und Mythos und exemplifizieren diese dort, wo sie noch verhältnismäßig am eingehendsten zum Gegenstand der Interpretation geworden sind, nämlich an der biblischen Literatur.

Während die neutestamentliche Forschung mythischen Vorstellungsweisen breiten Raum in der urchristlichen Literatur zugesteht, bietet die alttestamentliche Exegese ein anderes Bild. »Der eigentliche Zug der Jahve-Religion ist den Mythen nicht günstig«, urteilte H. Gunkel[46], und dieses Urteil bestimmt die in dieser Disziplin bis in die Gegenwart vorherrschende Einstellung. Mythisches kommt vornehmlich unter dem Gesichtspunkt äußerer Einflüsse auf die israelitische Religionsgeschichte zur Sprache. Bei Gunkel erklärt sich diese Sicht der Dinge daraus, daß er Mythos als »Göttergeschichte« versteht; »zu einer Göttergeschichte gehören aber mindestens zwei Götter«. Daher habe der Monotheismus der israelitischen Religion »eigentliche unverfälschte Mythen nicht ertragen«[47]. Dieser Begriff von Mythos als Göttergeschichte ist jedoch neuerdings als zu eng abgelehnt worden. Er erlaube nicht, die Funktion der Mythen im Kraftfeld des Geistes einer Kultur zu verstehen. Vor allem aber werde die Abgrenzung der genuin israelitischen Überlieferungen von allem Mythischen dadurch allzu sehr erleichtert, und die Möglichkeit bleibe unberücksichtigt, daß im Alten Testament trotz des Kampfes gegen den Polytheismus ein mythisches Wirklichkeitsverständnis wirksam sein könnte[48]. In seinem

46. Genesis, 3. Aufl., Göttingen 1910, S. XIV. Über die Nachwirkung dieser Sicht in der neueren alttestamentlichen Forschung orientiert K. H. Bernhardt: Bemerkungen zum Problem der ›Entmythologisierung‹ in alttestamentlicher Sicht, in: Kerygma und Dogma 15 (1969), S. 193 ff.

47. Ebd. Diese Auffassung schließt bei Gunkel die an Heyne und die mythische Schule erinnernde Charakteristik des Mythos durch eine anschauliche, sinnliche Vorstellung vom Geistigen, Göttlichen nicht aus (vgl. Anm. 20). Bei Gunkel ist jedoch diese Vorstellungsweise als mythische trotz eines gelegentlich laxen Sprachbrauches noch an den Gedanken der ›Göttergeschichte‹ gebunden, während später bei Bultmann die Vorstellungsweise den Begriff des Mythischen definiert ohne Rücksicht darauf, wie sie sich thematisch äußert.

48. B. S. Childs: Myth and Reality in the Old Testament, London 1960, S. 15 ff. Childs hat mit Recht den Gegensatz der engeren Auffassung Gunkels zu Bultmanns Be-

so begründeten Bestreben, einen weiter gefaßten Begriff des Mythos zu gewinnen, stimmt Childs überein mit der neueren religionswissenschaftlichen Mythosforschung, die vom formalen Merkmal einer gründenden Urzeit als konstitutiv für den Begriff des Mythos ausgeht ohne Rücksicht darauf, ob die urzeitlichen Gründungsakte den Stammesvätern oder Urzeitheroen, oder aber göttlichen Wesen zugeschrieben werden. Gleichwohl können Götter als die eigentlich typischen Akteure des Mythos gelten, weil die Funktion urzeitlicher Gründung mit unverbrüchlicher Gültigkeit letztlich doch eine gottheitliche Funktion ist. Doch muß dem Wirklichkeitsverständnis in der Tat die Priorität zuerkannt werden, sofern die Wirklichkeit im Mythos als durch urzeitliches Geschehen bestimmt gedacht wird[49]. Das so gefaßte mythische Wirklichkeitsverständnis sollte allerdings nicht verwechselt werden mit dem nochmals allgemeineren Begriff einer mythologischen Vorstellungsform im Sinne Bultmanns (siehe oben).

Die Untersuchung der Beziehungen zwischen dem Alten Testament und der altorientalischen Mythologie Babylons und Ägyptens hat immer wieder zu dem Ergebnis geführt, daß Israel zwar durchaus mythische Stoffe in seine Überlieferungen aufgenommen, ihre mythische Struktur dabei aber in einer Weise verwandelt hat, daß im Hinblick auf solche Adaption der Eindruck einer ›Entmythologisierung‹ sich aufdrängt. So hat Gunkel in der Ausmerzung der polytheistischen Züge des babylonischen Mythos in der biblischen Schöpfungsgeschichte »Schritt für Schritt das Zurücktreten des Mythologischen« festgestellt[50]. Aber auch Childs, der außer den altorientalischen ›Göttergeschichten‹ auch das Ihnen zugrunde liegende Wirklichkeitsverständnis in seinen Begriff des Mythischen einbezieht, kommt zu dem Ergebnis, daß im Alten Testament ein dem mythischen entgegengesetztes Wirklichkeitsverständnis, das auf eschatologische Zukunft statt auf urbildiche Herkunft hin orientiert sei, sich Bahn gebrochen habe[51]. Daran dürfte so viel richtig sein, daß sich im Alten Testa-

griff des Mythos als Vorstellungsform hervorgehoben (S. 13 ff.), übersieht allerdings den schon bei Gunkel vorliegenden laxeren Sprachgebrauch. Daß bei einem mythischen Vorgang keineswegs ein Gott die wirkende Person sein müsse, betont auch L. Radermacher: Mythos und Sage bei den Griechen, 3. Aufl., Darmstadt 1968, S. 71.

49. In diesem Sinne spricht auch Childs von ›Wirklichkeitsverständnis‹ (*understanding of reality*), vgl. aaO S. 17 ff., besonders S. 19.

50. Gunkel: Schöpfung und Chaos in Urzeit und Endzeit, S. 120.

51. Childs, aaO S. 83 und 93. Vgl. auch M. Eliades Argumentation, daß die Orientierung an mythischen Urbildern in Israel, insbesondere durch das Wirken der Prophetie, durch eine positive Wertung der Zukunft und ein dem entsprechendes geschichtliches

ment kein in sich geschlossenes mythisches Bewußtsein mehr ausdrückt, sondern daß wir es schon hier vorwiegend mit ›Späthorizonten‹ des Mythos zu tun haben. Ein ungebrochen mythisches Wirklichkeitsverständnis wird man im Alten Testament nur dann konstatieren können, wenn man nicht vom Vergleich mit den konkreten Formen altorientalischer Mythologie und von dem ihnen zugrunde liegenden Wirklichkeitsverständnis ausgeht, sondern von einer allgemeineren Vorstellung von einer mythischen Weltauffassung, die im Sinne Bultmanns und der von Heyne bestimmten Betrachtungsweise jedes Eingreifen göttlicher Mächte in die irdische Wirklichkeit bereits als mythisch klassifiziert[52]. Damit verliert der Mythosbegriff aber, wie gezeigt wurde, seine bestimmten, am historischen und ethnologischen Material nachweisbaren Konturen[53] und dient statt dessen der Legitimation eines von der religiösen Thematik überhaupt sich ablösenden modernen Bewußtseins. Sachgemäßer wäre es daher, hier von einer religiösen Weltauffassung zu sprechen, statt von einer mythischen, die durch speziellere Merkmale gekennzeichnet ist. Eine religiöse Weltauffassung in dem Sinne, daß man überhaupt hintergründiger, göttlicher und gegengöttlicher Mächte gewärtig ist und mit der Möglichkeit ihres wie auch immer zu denkenden Eingreifens in den Lauf des irdischen Gesche-

Wirklichkeitsverständnis abgelöst worden sei (Der Mythos der ewigen Wiederkehr, Düsseldorf 1953, S. 149 ff., besonders S. 154 ff.).

52. In diesem Punkt schließt sich Bernhardt der Fragestellung Bultmanns an (aaO S. 197 ff.), obwohl er dessen Begriff eines mythischen Weltbildes mit Recht ablehnt, weil weder religiöser Wunderglaube immer mit einem dreistöckigen Weltbild, noch auch umgekehrt ein solches Weltbild immer mit Wunderglaube verbunden ist (siehe oben Anm. 29).

53. Siehe oben S. 16 ff. Bernhardt kennt auch den engeren Begriff des Mythos als ›Ursprungsgeschichte‹ (S. 194 ff.). Allerdings faßt er diesen durchweg als ätiologisch auf. Nach seiner Meinung dienen Mythen »zur Interpretation oder zur Begründung von irdischen Vorgängen und Zuständen im Bereich der Natur oder der Geschichte durch Ereignisse in der Götterwelt bzw. durch göttliches Eingreifen in irdische Bereiche« (S. 194). Die gewichtigen Bedenken Malinowskis gegen das Verfahren, den Mythen eine erklärende, ätiologische Absicht zu unterlegen (siehe oben S. 10) sind hier unberücksichtigt geblieben. Die ätiologische Auffassung der Mythen als Erklärung von profanen Sachverhalten der Natur oder der Geschichte führt folgerichtig hinüber zum Gedanken einer mythischen Weltauffassung, weil die mythische ›Erklärung‹ dann unvermeidlich als eine ›primitive‹ Deutung der nach unserer Erkenntnis anders zu erklärenden Phänomene erscheinen muß. Allerdings bleibt auch in dieser Perspektive die Berechtigung zweifelhaft, den Wunderglauben generell in die mythische Weltauffassung einzubeziehen oder gar als für sie besonders charakteristisch zu veranschlagen. Es könnte ja immer noch sein, daß ein Wunderglaube weder für die typischen Strukturmomente vermeintlicher mythischer Ätiologie unerläßlich, noch andererseits durch sie bedingt ist.

hens rechnet, liegt allerdings den biblischen Schriften durchweg zugrunde[54]. Davon zu unterscheiden ist die Wirksamkeit einer mythischen Weltauffassung, eines mythischen Wirklichkeitsverständnisses im altisraelitischen und im urchristlichen Denken, sowie die Funktion einzelner mythischer Themen und Vorstellungen in den biblischen Schriften. Dabei wird man allerdings durchaus mit der Möglichkeit auch spezifisch israelitischer Mythenbildung zu rechnen haben. Die fast allgemein verbreitete Auffassung, daß Mythisches in israelitischer Überlieferung nur als fremder Einfluß, nicht als eigene Schöpfung vorkommen könne[55], paßt allzu gut zu

54. Darin ist den Ausführungen Bernhardts (S. 200 ff.) zur durchgängig von ihm als mythisch bezeichneten religiösen Weltauffassung im AT und NT zuzustimmen. Dabei zeigt seine Argumentation die durch den Begriff des Mythischen in der Auseinandersetzung um die religiöse Thematik wegen der Konnotation des geschichtlich Überholten angerichtete Verwirrung. Einerseits findet sich der apologetische Versuch, die Bedeutung mythischer Vorstellungen für die Menschen des Altertums zu bagatellisieren, wenn es heißt, »daß mythische Vorstellungen auch für den Menschen des Altertums selbst bestenfalls nur einen relativen Wirklichkeitswert besaßen« (S. 199). Dann wieder heißt es, daß »es uns nicht möglich ist«, gewissen Überlieferungen wie der Botschaft von der Auferstehung Jesu »den gleichen Wirklichkeitswert zuzuerkennen wie die alte Christenheit auf Grund ihrer mythischen Weltauffassung« (S. 202). Endlich aber wird gesagt, der Glaube könne »die mythische Weltauffassung ... als Voraussetzung nicht entbehren«. Sie sei vielmehr »Grundlage jeder Religion. Auf diese Grundlage kann nicht verzichtet werden« (S. 209). Der richtigen Erkenntnis der fundamentalen Bedeutung des hier als »mythische Weltauffassung« Bezeichneten für Religion überhaupt wäre besser gedient, wenn es als religiöse Weltauffassung vom spezielleren Phänomen des Mythischen abgehoben würde. Ob das eine überholte Weltauffassung ist, darüber sind die Akten der geistigen Auseinandersetzung noch keineswegs geschlossen, wenn auch einige ihrer historischen Gestalten wie etwa der Gedanke einer göttlichen ›Durchbrechung‹ von Naturgesetzen, außer Kurs gekommen sind. Die Entscheidung über die Möglichkeit einer religiösen Weltauffassung überhaupt wird aber ohne zureichende Begründung präjudiziert, wenn diese mit dem Etikett des Mythischen versehen und zugleich durch ein nun in der Tat überholtes Weltbild, – die ominöse Dreiteilung in Himmel, Erde und Unterwelt, – charakterisiert wird.

55. Zu Gunkel siehe oben S. 27 ff. Siehe weiter A. Weiser: Einleitung in das AT, 2. Aufl., Göttingen 1949 ff., Sellin-Rost: Einleitung in das AT, 8. Aufl. Heidelberg 1950, S. 15. Im Genesiskommentar G. v. Rads tritt der Begriff der ›Sage‹ ganz in den Vordergrund (Das Alte Testament deutsch, Göttingen 1949–53, Bd. 2, S. 22 ff.), und von mythologischen Motiven ist nur noch in der Weise die Rede, daß sie ihren eigentlich mythischen Sinn im AT längst verloren haben (S. 38, vgl. 51, 56, 65, 70, 79 ff., 94, 120 ff.). W. M. Schmidt betont, daß Mythos und Glaube sich »fremd« seien (Die Schöpfungsgeschichte der Priesterschrift, Neukirchen 1964, S. 180) und will den Mythos nicht einmal als mögliche »Ausdrucksform des Glaubens« gelten lassen, wie das J. Hempel: Glaube, Mythos und Geschichte im AT, in: Zeitschrift für alttestamentliche Wissenschaft 65 (1953), S. 110, vorgeschlagen hatte. In seinem Artikel: Mythos im Alten Testament

einem theologischen Interesse, den Kern der Offenbarungsreligion von allem Mythischen rein erhalten zu sehen. Wenn Mythen in Israel nicht in der im Alten Orient sonst geläufigen, polytheistischen Prägung vorkommen können, so besagt das noch nicht, daß nicht auch in Israel der Gedanke einer gründenden Urzeit lebendig gewesen sein und sich in bestimmten Überlieferungen ausgeprägt haben könnte.

V.

Anzeichen für die teils noch ungebrochene Wirksamkeit, teils Nachwirkung einer mythischen Weltauffassung finden sich in den Grundzügen altisraelitischen Zeit- und Raumverständnisses[56]. Beim Zeitverständnis wird eine mythische Orientierung schon darin erkennbar, daß der hebräische Sprachgebrauch die Zukunft durchweg als das im Rücken Liegende bezeichnet, während die Menschen das Vergangene ›vor‹ sich haben, der Vorzeit zugewandt sind[57]. Solche Vorzeit hat damit freilich noch nicht immer schon den Charakter mythischer Urzeit. Ob so etwas im israelitischen Wirklichkeitsverständnis eine Rolle spielt, läßt sich nicht durch formale Beobachtungen am Sprachgebrauch entscheiden, sondern nur durch Prüfung der konkreten Überlieferungsinhalte. Hier zeigt sich nun in der Tat eine Orientierung des Bewußtseins an den Vätergestalten, sowie an den für die Existenz des Volkes grundlegenden Geschehnissen der Landnahmezeit, die in manchen Zügen mit der Funktion urzeitlichen Gesche-

(Evangelische Theologie 27 [1967], S. 237–254) gesteht Schmidt jedoch zu, daß alttestamentliche Überlieferungen »mythisch ausgestaltet« wurden (S. 247), bezeichnet es aber als charakteristisch, daß Israel selbst keine mythischen Erzählungen gebildet, sondern nur fremde ... Mythen – bruchstückhaft – übernommen und verändert hat« (S. 246). Auch Childs hält die von Gunkel formulierte These in diesem Punkt offenbar für so evident, daß er sie gar nicht erörtert, aber in seinen Darlegungen durchweg voraussetzt.

56. Zu diesen beiden Themen, besonders zum letzteren, vgl. Childs 72–93: The Old Testament's Categories of Reality. Die Ausführungen zum Zeitverständnis beschränken sich bei Childs allzu exklusiv auf die Korrespondenz von Urzeit und Endzeit. Zum Zeitverständnis des AT siehe auch G. v. Rad, Theologie des AT, Bd. 2, München 1960, S. 112 ff.

57. Th. Boman: Das hebräische Denken im Vergleich mit dem griechischen, 3. Aufl., Göttingen 1959, S. 128 ff. Die von Boman namhaft gemachten Analogien in außerisraelischer, moderner Zeiterfahrung belegen durch die mit ihnen verbundene Möglichkeit, das Verhältnis der Zukunft zu uns perspektivisch unterschiedlich zu benennen, eher die Verschiedenheit vom alttestamentlichen Zeitverständnis.

hens für mythisches Wirklichkeitsverständnis vergleichbar sind. Bei den Vätergeschichten handelt es sich dabei vor allem um die Retrojektion späterer Erfahrungen in die Väterüberlieferungen, angefangen von der genealogischen Verbindung der Vätergestalten Abrahams, Isaaks und Jakobs miteinander, und zweitens um die Frage, wie sich die Väterüberlieferungen zum Kult der Vätergottheiten in der vorjahwistischen Anfangszeit Israels verhalten[58]. Daß jedenfalls ein Teil der Väterüberlieferungen kultbegründende Funktion gehabt hat, zeigt die Erzählung vom Traum Jakobs in Bethel, die die Einrichtung (oder Adaptation) eines Kultes für den Gott Jakobs in Bethel begründet (Gen 28, 18 ff.). Von der Einsetzung von Kulten an bestimmten Orten durch die Väter ist auch sonst die Rede (Gen 13, 18 passim). Eine sekundäre Verbindung kultischer Rituale mit einer Vätergestalt zeigt sich in der Zurückführung der Beschneidung auf Abraham (Gen 17). Für das Israel des Jahwebundes haben aber die Väterüberlieferungen nicht mehr die mythische Funktion einer die gegenwärtige Lebensordnung im ganzen begründenden Urzeit gehabt. Diese Funktion fiel eher den mit Mose und Josua verbundenen Überlieferungen von Auszug und Landnahme zu[59]. Auch hier läßt sich, besonders in der Sinaiperikope, die Retrojektion späterer Traditionsbildungen feststellen: Rechtsformulierungen, die erst in der Zeit der Seßhaftigkeit Israels im Kulturland entstanden sein können, wurden zurückgetragen in die Situation der ersten Verkündung des Gottesrechtes an und durch Mose am Sinai. Der Sinaisituation wurde damit in den israelitischen Rechtsvorstellungen eine urzeitliche Funktion, die Funktion des alle spätere Rechtspraxis begründenden Geschehens, zugewiesen. Teile der auf solche Weise im Laufe des Überlieferungsprozesses unförmig angewachsenen Sinaiperikope haben wahrscheinlich auch kultische Funktion gehabt, nämlich im Zusammenhang der Bundeserneuerung[60]. Bei diesem Anlaß dürfte eine wiederholende Begehung des am Anfang, *in illo tempore*, durch Josua vollzogenen Bundesschlusses zwischen Jahwe und Israel stattgefunden haben

58. Zum Kult der Vätergottheiten vgl. A. Alt: Kleine Schriften zur Geschichte des Volkes Israel, Bd. 1, München 153, S. 1 ff.

59. Der Begriff der Vorzeit oder Urzeit findet sich in solchem Sinne ausdrücklich Mi 7,20; Jes 51,9; Ps 44,2, 74,2, 77,12, 78,2.

60. Näheres bei R. Rendtorff: Der Kultus im Alten Israel, in: Jahrbuch für Liturgik und Hymnologie 2 (1956), S. 1–21, bes. 7 ff., sowie bei K. Baltzer: Das Bundesformular, Neukirchen 1960, S. 68 ff. Baltzer nimmt für die frühe Zeit freie, unregelmäßige Anlässe für die als Bußakt zu verstehende Bundeserneuerung an, ohne Verbindung mit einem Festtermin.

(Jos 24). Doch ist die Zeit dieses Bundesschlusses in Israel nie als Anfang alles Geschehens überhaupt, noch als Anfang der gegenwärtigen Ordnung der Natur (so der Noahbund Gen 8, 22) vorgestellt worden, sondern als innergeschichtliches Ereignis, nicht am Anfang, sondern am Ende einer für das Volk grundlegenden Reihe von Ereignissen, durch die es in den Besitz des Landes gelangte[61]. Die Feste und der Kultus Israels scheinen durchweg entweder von Hause aus durch solches wiederholende ›Gedenken‹ an die grundlegenden Ereignisse der Zeit des Auszugs und der Landnahme konstituiert oder sekundär damit verknüpft worden zu sein. Der letztere Fall einer sogenannten ›Historisierung‹ vorgegebener Riten läßt sich beim Passah und bei den Erntefesten nachweisen[62]. Solche ›Historisierung‹ bleibt jedoch zweideutig als Argument gegen ein mythisches Verständnis der israelitischen Kulte: Sie zeigt die Überwindung von mit vielen Riten ursprünglich verbundener außerisraelitischer Mythologie, ihre Aneignung durch Zurückführung auf irgendwelche Ereignisse der Heilsgeschichte, die den Besitz des Landes begründete. Doch diese Geschichte selbst rückte damit in die Funktion des Mythos als gründende Urzeit ein[63]. Der Durchzug durch das Schilfmeer, der Aufenthalt in der Wüste, der Bundesschluß selbst, sowie auch der Ungehorsam und Götzendienst des Volkes in der Wüste wurden zu paradigmatischen Bildern, in deren Licht Israel die Erfahrungen seiner späteren Geschichte deutete. Und doch verlor jene Ursprungsgeschichte nicht völlig ihre Kontingenz und Einmaligkeit.

61. Man vergleiche demgegenüber, was M. Eliade: Der Mythos der ewigen Wiederkehr, Düsseldorf 1953, S. 125, über den antihistorischen Charakter des mythisch gebundenen Kultus sagt. Auch v. Rad, Theologie des AT, Bd. 2, S. 121, weist auf diese Differenz hin. Dabei ist allerdings zu beachten, daß auch eine so stark mythisch und rituell geprägte Rolle wie die des ägyptischen Königs, dem die »Schaffung, Aufrechterhaltung und Erneuerung der geordneten Schöpfungswelt« zufiel (E. Hornung: Geschichte als Fest, Darmstadt 1966, S. 26), zumindest im ägyptischen Denken Raum ließ für die Anerkennung von Ereignissen, die »noch niemals seit der Urzeit« geschehen waren und ihrerseits neue Rituale begründen konnten (ebd. S. 20).

62. R. Rendtorff: Kult, Mythos und Geschichte im Alten Israel, in: Sammlung und Sendung, Festschrift für H. Rendtorff, Berlin 1958, S. 121 ff., hat diese »Historisierung« fremder Kulttraditionen (S. 127 ff.) scharf unterschieden von der verbreiteten Behauptung, daß – namentlich beim Laubhüttenfest – babylonische Mythen, besonders der Schöpfungsmythos, eine konstitutive Bedeutung gehabt hätten und dabei »historisiert« worden wären (S. 123 ff.). Zum Passah siehe Rendtorffs Anm. 60 zitierten Beitrag, S. 3.

63. In anderem Sinne, nämlich im Hinblick auf die Deutung des Auszugsgeschehens in der Sprache des Schöpfungsmythos, spricht J. Hempel: Glaube, Mythos und Geschichte im Alten Testament, in: Zeitschrift für alttestamentliche Wissenschaft 65 (1953), S. 113 ff von einer Mythisierung der Geschichte.

Zwar wurde der Gott der geschichtlichen Heilstaten auch als Schöpfer der Welt und des Menschen gedacht, aber diese beiden Themenkreise verschmolzen nur in wenigen hymnischen und prophetischen Dichtungen zu einem einzigen. Darum blieben die Heilstaten Gottes Ausdruck seiner Erwählung und seines Bundeswillens; sie wurden nicht Bestandteil der unveränderlichen Einrichtung der Welt überhaupt, sondern ihr Ergebnis konnte als im Fortgang der Geschichte auf dem Spiele stehend verstanden werden. Das ist die Voraussetzung für die Möglichkeit der prophetischen Gerichtsankündigungen, die das Bewußtsein der Geschichtlichkeit und damit auch des möglichen Verlustes der Heilsgüter des Volkes hervorbrachten. Dabei standen dem Auftreten der Propheten Tendenzen entgegen, die sich nur indirekt aus den überlieferten Texten erschließen lassen, weil sie durch die politischen Katastrophen der beiden israelitischen Teilstaaten von weiterer Überlieferung ausgeschlossen wurden, und die den Heilsbesitz des Volkes – vor allem den Besitz des Landes, aber auch den Bestand des Königtums, – als definitiv und unverlierbar verstanden. Es ist nicht ausgeschlossen, daß hier die heilsgeschichtlichen Daten enger mit der mythischen Schöpfung der Welt verbunden wurden. Anzeichen dafür lassen sich den spezifisch Jerusalemischen Kulttraditionen entnehmen[64]. Vor allem wäre es aufschlußreich, wenn tatsächlich das jüdische Neujahrfest in Analogie zum babylonischen zu verstehen wäre, als Erneuerung der Zeit und damit auch der Schöpfung, als jährliche Erneuerung der Thronbesteigung Jahwes selbst. Doch in diese Richtung gehende Vermutungen sind umstritten geblieben[65]. Für das Zeitverständnis Israels bleibt die Differenz zwischen der Schöpfung von Mensch und Welt am Anfang und dem heilsgeschichtlichen Erwählungshandeln Jahwes in den Ereignissen der Väterzeit, des Auszugs aus Ägypten und der Landnahme der israelitischen Stämme grundlegend. Das fortdauernde Bewußtsein von der geschichtlichen Kontingenz dieser Ereignisse setzte ihrer Inanspruchnahme im Sinne einer mythischen Urzeit Grenzen. Das erklärt auch, warum die Endzeit vom altisraelitischen Frommen besonders der prophetischen Zeit nicht einfach als Rückkehr zur Urzeit, sei es der Schöpfung und ihrer paradiesischen Lebensform, sei es der göttlichen Heilssetzungen in der Ge-

64. Dazu siehe H. Schmid: Jahwe und die Kulttraditionen von Jerusalem, in: Zeitschrift für alttestamentliche Wissenschaft 67 (1955), S. 168–197.

65. Die These wurde vor allem von S. Mowinckel entwickelt in seinen Psalmenstudien, Bd. 2, Kristiania 1922 (vgl. auch Religion und Kultus, Göttingen 1953, S. 73 ff.). Ein Resumé der Diskussion und Kritik dieser These gibt W. H. Schmidt: Königtum Gottes in Ugarit und Israel, 2. Aufl., Berlin 1966, S. 74 ff.

schichte erwartet worden ist, sondern vielmehr als Überholung und überbietende Vollendung alles bisher Dagewesenen, als Zeit eines neuen Exodus (Jes 43, 16 ff.) und eines neuen Bundes (Jer 31, 31 ff.) eines neuen David (Jer 30, 9, vgl. Hos 3,5, Hes 34, 23) und eines durch ihn heraufzuführenden neuen Paradieses (Jes 11, 6 ff.), sowie endlich einer neuen Schöpfung, in der man *der Vorzeit nicht mehr gedenken* wird, weil sie übertroffen ist (Jes 65, 17)[66].

Wie das Zeitverständnis so steht auch die Auffassung des Raumes im Alten Testament der mythischen Denkweise noch nahe. Wie die Homogenität der Zeit für mythisches Bewußtsein aufgehoben ist durch die Auszeichnung einer ›Urzeit‹ und durch die ständige Möglichkeit ihrer kultischen Aktualisierung, so die des Raumes dadurch, daß eine Hierophanie einen Ort zum ›Zentrum‹ der Welt macht, durch das die profane Wirklichkeit mit der göttlichen Sphäre verbunden und von dem her sie darum zur ›Welt‹ strukturiert wird[67]. Im altjüdischen Denken haben seit der Königszeit die Stadt Jerusalem, der Berg Zion und das Haus Jahwes auf ihm, der Tempel, eine derartige Funktion gehabt. Besonders bei *Jesaja* ist eine auch sonst (z. B. Ps 46,5; 48,3 ff.; 50,2) nachzuweisende Überlieferung wirksam[68], daß Jerusalem mit dem Berg Zion, dem Wohnsitz Jahwes (Jes 8,18), der uneinnehmbare Zufluchtsort seines Volkes ist: *Jahwe hat den Zion gegründet; dort werden sich bergen die Elenden seines Vol-*

66. B. S. Childs behandelt ausführlich die Frage, ob die im Alten Israel erwartete Entsprechung der Endzeit zur Urzeit Ausdruck eines zyklischen, mythisch begründeten Wirklichkeitsverständnisses sei, wie es seit H. Gunkel (Schöpfung und Chaos in Urzeit und Endzeit, 1895) vielfach behauptet wurde, und betont demgegenüber außer der einer Urzeit-Funktion nur bedingt genügenden Geschichtlichkeit des Heilsgeschehens im Bewußtsein Israels auch, daß »the relationship of *Urzeit to Endzeit* is not one of simple identity« (Myth and Reality in the OT, S. 77 ff.). Neben den Aussagen, die eine eschatologische Überbietung alles Bisherigen intendieren und deren Eigenart besonders pointiert durch den gelegentlich ausdrücklichen Hinweis, daß man des Früheren nicht mehr gedenken werde (Jes 65, 17, vgl. Jes 48, 6; 43, 18 sowie Jer 23, 7 ff. und 3, 16 ff.) hervortritt, stehen allerdings andere, die eine bloße Wiederkehr vergangener Verhältnisse ankündigen (Jer 30, 20; 33, 7; Amos 9, 11 und 14).

67. Eine idealtypisch vereinheitlichte Darstellung dieser Anschauung gibt M. Eliade unter dem Titel »Der Heilige Raum und die Sakralisierung der Welt«, in: Das Heilige und das Profane. Vom Wesen des Religiösen, Hamburg 1957, S. 13 ff. Siehe auch: Die Religionen und das Heilige, Salzburg 1954, S. 415–437.

68. Der Zionstradition bei *Jesaja* hat v. Rad in seiner Theologie des AT, Bd. 2, einen eigenen Abschnitt gewidmet (S. 166–179). Zum allgemeinen Traditionshintergrund vgl. Bd. 1, S. 54 ff. Die Analogie zum mythischen Raumverständnis behandelt Childs aaO S. 84 ff.

kes (14,32). Gegen den Ansturm der Völker schützt Jahwe seinen heiligen Berg (Jes 17,12 ff. vgl. 10, 12, 32; 29, 7 ff.; 31, 5). Hierin und vor allem in der mit dem Zion verbundenen, obwohl im Rahmen der israelitischen Geographie nicht recht zu ihm passenden Vorstellung vom Götterberg *im äußersten Norden* (Ps 48,3, vgl. Jes 14,13) werden vorisraelitische, ursprünglich im nördlichen Syrien beheimatete Vorstellungen greifbar[69]. Daß hohe Berge als Götterwohnung, als Ort der Berührung der Erde mit der Himmelswelt galten, ist ein in der Mythologie weit verbreitetes Motiv. Auch das Paradies, der Garten Eden, scheint in Israel als Götterberg im Weltmittelpunkt aufgefaßt worden zu sein, von dem die die ganze Erde befruchtenden Wasserströme ausgehen[70]. Doch Israel – darin äußert sich wieder sein spezifisches Geschichtsbewußtsein – hat gerade in der vorexilischen Zeit in der Auszeichnung des Zion kein urzeitliches Datum, sondern den Ausdruck einer geschichtlichen Erwählungstat Jahwes erkannt (vgl. Ps 78,68; 132,13 ff.). Erst für die künftige Heilszeit erwartete *Jesaja*, daß der Zion als Mittelpunkt der Erde *an der Spitze der Berge* stehen und die Hügel überragen wird (Jes 2,2), so daß die Völker zum Zion wallfahren werden[71]. Auch bei *Hesekiel* wird Jerusalem erst im Zusammenhang eschatologischer Weissagungen als *Nabel der Erde*, Mittelpunkt der Welt (38,12), angesprochen[72]. Einen Schritt weiter geht die mythische Interpretation da, wo der Berg Zion mit dem Garten Eden, dem Ort des Paradieses, verschmilzt[73]. Zwar handelt es sich auch dabei zumeist um die Ausmalung eschatologischer Erwartung, aber diese stellt sich hier als Wiederkehr der Urzeit dar. Eine analoge Tendenz ist im chronistischen Geschichtswerk zu beobachten, wenn der Zion mit der Vätergeschichte verbunden und als der Ort identifiziert wird, wo Abraham Isaak opfern

69. Das hat O. Eissfeldt: Baal Zaphon, Halle 1932, S. 5 ff. nachgewiesen. Siehe auch W. H. Schmidt: Königtum Gottes in Ugarit und Israel, S. 32 ff.: Der Gottesberg im Norden.

70. So W. Zimmerli: Ezechiel, Neukirchen 1969, S. 1192 ff., vgl. 997.

71. Zur weiteren Geschichte des eschatologischen Motivs der Völkerwallfahrt zum Zion bei *Deutero- und Tritojesaja, Haggai, Sacharja, Zephanja* und in der *Apokalyptik* vgl. v. Rad, aaO Bd. 2, S. 307 ff.

72. Zum mythischen Hintergrund dieser Formel siehe Zimmerli: Ezechiel S. 955 ff. Das Motiv begegnet auch Ri 9, 37, wo es sich ebenfalls auf einen Berg, vielleicht auf den Garizim, bezieht. Die religionsgeschichtliche Verbreitung des Motivs hat W. H. Roscher: Omphalos, Leipzig 1913 und »Der Omphalosgedanke bei verschiedenen Völkern«, Leipzig 1918, dargestellt. Die Beeinflussung der mythischen Deutung des Golgathahügels in der christlichen Überlieferung durch diesen Gedanken hat J. Jeremias: Golgatha, Leipzig 1926 untersucht. Vgl. Childs aaO S. 85 ff.

73. Belege bei Childs, aaO S. 86 ff.

wollte (2 Chron 3,1)[74]. Der Zielpunkt dieser Tendenz, die Verbindung des Zion mit der Schöpfung selbst und zwar als ihr Beginn und Ausgangspunkt, wurde aber erst in der späteren jüdischen Literatur erreicht. So heißt es im Traktat *Yoma*, die Schöpfung der Welt habe beim Zion begonnen[75]. Diese Linie hat auch in der christlichen Literatur eine Fortsetzung gefunden. Hier trat der Golgathahügel als Mittelpunkt der Erde an die Stelle des Berges Zion[76]. Das Kreuz Christi sollte an eben der Stelle errichtet sein, wo Adam begraben liegt, so daß das versöhnende Blut Christi seinen Schädel benetzte[77]. Hier haben wir es mit einer Remythisierung, wenn auch wohl nur mit einer symbolisch gemeinten und zudem, wie noch zu zeigen sein wird, durch Antitypik gebrochenen zu tun. Sie wird verständlich daraus, daß die mythischen Vorstellungen von Gottesberg und Weltmittelpunkt irgendwie als zweckdienlich für Jahwe und an die kosmische Bedeutung des Geschehens der Kreuzigung Christi aufgefaßt und benutzt wurden. In der älteren jüdischen Literatur hingegen wird die innere Logik der mythischen Raumvorstellung gebrochen, indem der konstitutive Bezug auf die Urzeit unterbleibt, stattdessen die geschichtliche Erwählung des Zion durch Jahwe den Bezugspunkt aller weitergehenden Aussagen bildet und die Funktion als Weltmittelpunkt und Heilsort erst der eschatologischen Zukunft vorbehalten wird. In der Gegenwart schützt die Auszeichnung Jerusalems und des Zion als Wohnsitz Jahwes zwar beide vor dem Übermut menschlicher Feinde, nicht aber vor der Heimsuchung durch Jahwe selbst, die sich der Waffen des Feindes bedienen kann. So hat sogar *Jesaja* den Zorn Jahwes gegen den Zion ansagen können (Jes 29,1 ff.), obwohl das bei *Jesaja* nicht das letzte Wort sein konnte (vgl. v. 8). *Micha* hingegen (3,12) und später *Jeremia* (21,4 ff). haben den Untergang Jerusalems und auch des Tempels (Jer 26,6) ankündi-

74. Im Anschluß an weitere analoge Aussagen der Chronik stellt Childs fest: »The mythical tendency within later Judaism to project Zion back into the *Urzeit* and reinterpret history to reflect its central role only goes to emphasize the nonmythological character of the original Zion tradition« (S. 90).

75. J. Jeremias: Golgatha, S. 54, siehe auch W. Roscher: Neue Omphalosstudien, Leipzig 1915, S. 16 ff., 73 ff. und A. J. Wensinck: The Ideas of the Western Semites concerning the Navel of the Earth, Amsterdam 1916, S. 15.

76. Ps. Cyprian: Carmen de Pascha vel de lingo vitae, hg. von G. Hartel, Wien 1868 (Corpus scriptorum ecclesiasticorum Latinorum 3), S. 305–308, zitiert bei H. Rahner: Griechische Mythen in christlicher Deutung (1957), 9. Aufl., Zürich 1966, S. 69. Dort weitere Belege.

77. Dieses aus den Kreuzigungsdarstellungen bekannte Motiv weist H. Rahner im äthiopischen Adamsbuch nach, aaO S. 70.

gen können. Noch später stellt die Verbindung des Zion mit Vätergeschichte und Paradies eine bruchlose Kontinuität zum mythischen Urgeschehen her. Die christliche Ersetzung des Zion durch den Golgathahügel unterscheidet sich davon durch den antitypischen Rückbezug Christi auf Adam, dessen Sünde durch den Opfertod Christi überwunden wird.

Aufs ganze gesehen scheint das mythische Raumerlebnis keine so fundamentale Macht über das Bewußtsein Israels mehr gehabt zu haben wie das mythische Verhältnis zur Zeit. Während die mythischer Vorstellungsformen sich bedienenden Aussagen über die Bedeutung Jerusalems immer schon einen unmythischen Ausgangspunkt im Bewußtsein von der in der Geschichte, zu Davids Zeit, geschehenen Erwählung Jerusalems durch Jahwe zu seinem Wohnsitz voraussetzt, hat sich das israelitische Denken vom formalen Schema einer alles bestimmenden Urzeit erst im Laufe seiner Geschichte und nie vollständig befreit. Erst die Prophetie hat den Jahweglauben von der das Leben des Volkes und seine Ordnung begründenden Urzeit des Geschehens von Auszug und Landnahme gelöst und auf ein künftiges Handeln Jahwes in der Geschichte hin orientiert, das jedoch wiederum nur in den Bildern der Überlieferung gedeutet werden konnte, so daß die eschatologische Sprache dem Mißverständnis im Sinne einer qualitativen Identität von Urzeit und Endzeit, wie sie der genuine Mythos verbürgt, ausgesetzt blieb.

VI.

Eine ähnliche Differenz wie zwischen der Wirksamkeit mythischer Zeiterfahrung und mythischer Raumvorstellung in Israel zeigt sich vielleicht nicht zufällig beim Vergleich der beiden institutionellen Bereiche, in denen mythische Denkformen sich besonders hartnäckig erhielten, nämlich des Kultus und des Königstums. Die Könige des Nordreiches können dabei unberücksichtigt bleiben. Sie scheinen in besonderer Weise einer charismatischen Legitimation durch Propheten bedurft zu haben, während das Jerusalemer Königtum durch die Kontinuität der davidischen Dynastie geprägt wurde. Für deren theologisches Selbstverständnis finden sich in den alttestamentlichen Texten noch aufschlußreiche Anhaltspunkte. Die Jerusalemer Könige wußten sich als Repräsentanten der Herrschaft Gottes nicht nur über Israel, sondern in der Völkerwelt überhaupt. In diesem

Sinne wurden sie bei ihrer Krönung feierlich als ›Sohn‹ Jahwes angeredet (Ps 2,7, vgl. 2 Sam 7,14) und gründeten darauf einen zumindest theoretischen Anspruch auf Weltherrschaft (Ps 2,8 ff., vgl. Ps 110,1 ff.). »Jahwes Thron und Davids Thron waren nicht voneinander zu trennen, ja sie waren, wenn man an Ps 110,1 denkt, eigentlich eines«[78]. Dennoch ist die von manchen Forschern vertretene Annahme einer Entsprechung zwischen jüdischem Königtum und ›dem‹ altorientalischen Gottkönigtum mit beachtlichen Gründen verworfen worden[79]. Die geschichtliche Erinnerung an die späte Entstehung des Königtums und die Bindung jedes Thronwechsels, wenn er auch nach dynastischen Regeln erfolgte, an die Zustimmung des Volkes[80] sprechen gegen eine solche Annahme. Unter derartigen Bedingungen konnte der König schwerlich als Gottkönig im Sinne des ägyptischen Königtums verstanden werden, wo der regierende Monarch als lebender Horus und leiblicher Sohn des Re galt. Aber auch die zurückhaltendere Auffassung der Gottessohnschaft des Königs im mesopotamischen Bereich[81] läßt sich nicht ohne weiteres auf die judäischen Verhältnisse übertragen. Da hier in der verhältnismäßig kurzen historischen Episode des Königtums dessen geschichtliche Entstehungsbedingungen und die Abhängigkeit vom Volkswillen in der Überlieferung lebendig blieben, da ferner eine mehr oder weniger entschieden kritische Beurteilung der Könige durch die ganze Königszeit hin möglich und wirksam war, wird man die mythischen Elemente der Königsauffassung, die im Alten Testament begegnen, nicht als Indizien für ein genuin mythisches Verständnis des Königstums in Anspruch nehmen können, sondern nur als Interpretamente für eine Institution, deren Wurzeln nicht im Mythos, sondern im Gedanken göttlicher Erwählung liegen[82]. Damit stellt sich dann allerdings notwendig die Frage, welche Funktion die mythischen Motive innerhalb eines derartigen Begründungszusammenhanges haben

78. G. v. Rad: Theologie des AT, Bd. 1, 1957, S. 54.

79. M. Noth: Gott, König und Volk im AT, in: Gesammelte Studien zum AT, München 1957, S. 188–229.

80. Noth, aaO S. 217

81. Den Unterschied zum ägyptischen Königtum hat H. Frankfort: Kingship and the Gods, Chicago 1948, herausgearbeitet.

82. Daß die Erklärung des Davididen zum ›Sohne Gottes‹ bei seiner Thronbesteigung wegen ihrer Eigenart als *Adoptions*formel einen fundamentalen Unterschied zum ägyptischen und mesopotamischen Königsverständnis begründe (so Noth, aaO S. 222), erscheint demgegenüber als weniger sicher, da der Gedanke einer Adoption und der »göttlicher Herkunft und göttlichen Wesens« sich keineswegs ausschließen müssen, wie es dem modernen Verständnis scheinen mag.

können. Fragen dieser Art haben in der alttestamentlichen Forschung nicht immer die nötige Beachtung gefunden. Das Interesse beschränkt sich oft zu sehr auf die Frage, ob eine Herleitung alttestamentlicher Vorstellungen von mythischen Motiven anzunehmen ist, oder ob umgekehrt die mythischen Stoffe den heilsgeschichtlichen Überlieferungen Israels adaptiert worden sind. Darüber hinaus muß aber methodisch die Frage nach der positiven Funktion gestellt werden, die die Beibehaltung oder gar Neueinführung mythischer Vorstellungen im Motivationszusammenhang der heilsgeschichtlichen Überlieferung Israels plausibel macht. Der Gesichtspunkt einer Anpassung an vorgefundene Anschauungen der Zeit genügt für sich allein nicht, da er nicht erklärt, weshalb im einen Fall eine solche Anpassung erfolgte, in andern Fällen aber nicht. Vielmehr ist jedesmal zu fragen, was eine Vorstellung, die nicht als Ausdruck einer noch selbstverständlichen Verhaftung in einem mythischen Weltverständnis aufgefaßt werden kann, für das aus dem israelitischen Überlieferungszusammenhang motivierte besondere Interesse leistet, das sich im jeweiligen Einzeltext bekundet. Im Hinblick auf das jüdische Königtum läßt sich wohl vermuten, daß die Auffassung des Königs als des die Weltherrschaft Jahwes selbst auf Erden repräsentierenden ›Sohnes‹ Gottes einen konkreten Herrschaftsanspruch artikuliert, der in der Entstehungssituation des davidischen Großreiches für einen weltgeschichtlichen Augenblick als sinnvoll erscheinen konnte und von den Nachfolgern Davids als verpflichtende Erinnerung festgehalten wurde[83]. Ähnlich wie im Falle der sachlich eng verwandten Zionstradition wäre dann durch die mythische Vorstellung – hier der Gottessohnschaft, dort des Götterberges – ein Anspruch formuliert worden, der zwar im Gedanken der geschichtlichen Erwählung Davids durch Jahwe begründet war, aber in seiner über die geschichtliche Gegenwart hinausgreifenden Idealität und Allgemeinheit durch die Sprache des Mythos unvergleichlich prägnant zum Ausdruck kam, zumal damit der Anspruch des Davididen als eine in der Weltordnung schon feststehende Realität behauptet werden konnte und das in derselben Vorstellungsform, in der sich das Denken der Nachbarvölker, an die ein solcher Anspruch sich richtete, bewegte. Auf dieser Linie würde auch die im Alten Testament ganz vereinzelt dastehende Anrede des Königs als Gott *(elohim)* Ps 45,7, die den Hauptbeleg für die Annahme einer

83. Entsprechend hat A. Alt: Die Deutung der Weltgeschichte im AT, in: Zeitschrift für Theologie und Kirche 56 (1959), S. 129 ff., das Großreich Davids als den historischen Ort für das entstehende weltgeschichtliche Bewußtsein Israels gekennzeichnet.

israelitischen Gottkönigsideologie bildet, als Ausdruck eines panegyrischen Hofstils verständlich.

Ein ganz anderes Bild ergibt sich im Bereich des Kultus. Hier sind mythische Denkformen offensichtlich nicht nur als Interpretamente für geschichtlich begründete Institutionen und Traditionen verwendet worden, sondern haben konstitutive Bedeutung gehabt. Das gilt vor allem für die Vorstellung von urzeitlichen Begebenheiten, die im Kult begangen werden. Dieser Sachverhalt wurde schon im Zusammenhang des Zeitverständnisses erörtert. Die für das israelitische Kultverständnis charakteristische heilsgeschichtliche Begründung seiner Feste und ihrer Riten ergibt noch kein Argument gegen den mythischen Sinn solcher kultischen Begehungen, sofern dabei geschichtliche oder vermeintlich geschichtliche Ereignisse selbst die Funktion urzeitlich gründender Begebenheiten übernahmen. Wo diese Funktion nicht aus dem geschichtlichen Sinn der betreffenden Ereignisse begründet wird, sondern unmittelbar als ihr Wesensgehalt erscheint, da ist die mythische Auffassung nicht mehr nur Interpretament des geschichtlichen Ereignisses, sondern hat seinen geschichtlichen Sinn verdrängt. Ob allerdings eine solche Verdrängung vorliegt, ist im Einzelfall nicht leicht zu entscheiden. So fragt es sich beim Essen ungesäuerten Brotes am ursprünglich kanaanäischen Mazzothfest, das eigentlich zu Beginn der Getreideernte »zur kultischen Weihung der Ernte die ersten Erträge des Ackerbodens noch unberührt durch die Zutat von Sauerteig« darbringen sollte[84], das aber dann schon beim Jahwisten auf den heiligen Aufbruch der Israeliten aus Ägypten bezogen und so der heilsgeschichtlichen Überlieferung Israels einverleibt wurde (Ex 12, 34–39), ob die Begehung damit in Israel den Sinn kultischer Wiederholung und Vergegenwärtigung des Auszugsgeschehens erhielt, jene heilsgeschichtliche Begründung also die Funktion eines Kultmythos hatte, oder ob es sich dabei nur um eine sekundär erklärende, kultätiologische Erzählung handelt, die den ursprünglichen Kultmythos verdrängt hätte, ohne doch im Ritual selbst seine Funktion zu übernehmen. Ähnliche Fragen lassen sich im Hinblick auf das Passah stellen, das ursprünglich ein apotropäischer Ritus vielleicht nomadischer Herkunft war, in Israel aber auf die Situation des Auszugs aus Ägypten bezogen wurde, und zwar speziell darauf, daß Jahwe, als er in der Nacht des Aufbruchs wie ein unheilvoller Dämon in Ägypten umging und die Erstgeburt bei Menschen und Tieren tötete, die

84. Noth: Das zweite Buch Mose, Göttingen 1958 (Das Alte Testament deutsch 5), S. 76.

Israeliten verschonte, an ihren Häusern vorüberging, weil sie durch das Passahblut an Türsturz und Pfosten geschützt waren (Ex 12,12 ff., 23 ff.). Hier ist es nun in der Tat wahrscheinlich, daß das Passah – in seiner ursprünglich nomadischen Form vielleicht besonders beim Aufbruch wandernder Kleinviehhirten zum Schutz ihrer Sippe und ihrer Herden begangen – in Israel »als ständig wiederholte kultische Vergegenwärtigung des einen großen ›Aufbruchs‹, nämlich des Aufbruchs aus Ägypten«, begangen wurde, wobei »die Marschbereitschaft der Opferteilnehmer, an der festgehalten wurde, auch als Israel seßhaft geworden war«[85], einen besonders bezeichnenden Zug bildet:

In folgender Weise sollt ihr es essen: Eure Lenden gegürtet, eure Sandalen an euren Füßen und euren Stab in eurer Hand. Ihr sollt es essen in ängstlicher Eile. Ein Passah-Opfer ist es für Jahwe (Ex 12, 11).

Hier ist deutlich, daß die heilsgeschichtliche Begründung nicht nur den Sinn einer Kultätiologie hatte, sondern regelrecht als Kultmythos fungierte. In späterer Zeit könnte sich das geändert haben, wenn der Ritus etwa nicht mehr als Wiederholung jener Ursituation, sondern nur noch als Ausführung eines göttlichen Gebotes zur Erinnerung an jenen geschichtlichen Anlaß vollzogen worden sein sollte.

Mythischen Sinn dürfte auch die (jährliche?) Wiederholung des Bundesschlusses Jahwes mit dem Volk bei der Bundeserneuerung[86] gehabt haben, obwohl die Überlieferung vom Bundesschluß zur Zeit *Josuas* (Jos 24) keinen mythischen Charakter, sondern eher den einer Geschichtserzählung hat, und obwohl die wiederholende Bekräftigung eines geschichtlichen Anfangs auch unmythischen Sinn haben kann, dann nämlich, wenn bei solcher wiederholenden Bekräftigung keine Identität mit dem anfänglichen Geschehen intendiert wäre. Es scheint aber, daß es in Israel bei der Bundeserneuerung gerade um das Eintreten späterer Generationen in die Ursprungssituation des Bundes mit Jahwe gegangen ist (Dtn 27, 9)[87]. Die mythische Form der identischen Wiederholung bietet sich wohl überhaupt als die naheliegendste und machtvollste Gestalt für das Bewußtsein historischer Kontinuität an. Diese wird dabei allerdings gerade nicht mehr als historische gewußt, sondern gegen den Fortgang der Geschichte

85. Ebd. S. 71, vgl. den ganzen Abschnitt S. 68 ff.

86. Rendtorff: Der Kultus im Alten Israel (siehe oben Anm. 60), S. 7 ff.

87. Ferner Dtn. 26, 16–19, vgl. G. v. Rad: Deuteronomiumstudien, Göttingen 1947, S. 49 und ebd. Das fünfte Buch Mose, Göttingen 1964 (Das Alte Testament deutsch 8), S. 118 ff. und 114.

aufrechterhalten, im Sprung über die historische Differenz hinweg, die die Gegenwart immer weiter vom maßgeblichen Ursprung trennt.

Haben wir es in den bisherigen Beispielen mit Überlieferungen zu tun, die von ihrem Inhalt her noch keineswegs als mythisch identifizierbar sind, sondern mythischen Sinn erst im Hinblick auf die Funktion gewinnen, die ihnen im kultischen Leben zufiel, so zeigt sich ein nochmals anderer Sachverhalt bei der Institution des Sabbat. Einer der Texte, in denen das Alte Testament eine Begründung des Sabbatgebotes überliefert, weist nur auf die soziale Bedeutung des siebenten Tages als Ruhetag hin (Ex 23, 12). Der zweite stellt darüber hinaus eine Verbindung zur Heilsgeschichte her durch die Erinnerung daran, daß die Israeliten in Ägypten selbst Slavendienste leisten mußten und also Verständnis für die Ruhebedürftigkeit auch ihrer Hausgenossen und Knechte aufbringen sollten (Dtn 5, 14 ff.). Der dritte Text jedoch gibt eine ausgesprochen mythologische Begründung für das Gebot der Sabbatruhe:

> Sechs Tage lang hat Jahwe den Himmel und die Erde, das Meer und alles was in ihnen ist, gemacht, am siebenten Tag aber geruht; darum hat Jahwe den siebenten Tag gesegnet und für heilig erklärt (Ex 20, 11).

Der Mensch soll tun, was Gott selbst am Anfang getan hat: ein Grundmotiv mythischen Denkens, hier um so bedeutsamer, als es um die Begründung des Zeitrhythmus der Woche geht. Dabei setzt diese sekundäre Erweiterung des Sabbatgebotes im Dekalog[88] den verhältnismäßig späten Schöpfungsbericht der Priesterschrift voraus, der seinerseits mit der Darstellung der Schöpfung als Siebentagewerk die göttliche Schöpfung als Urbild des Zeitrhythmus der Woche aufgefaßt hat. Da die siebentägige Woche ihren Ursprung in Babylonien hat und der Siebenzahl der Planetengötter entspricht, die nacheinander die Tage der Woche regieren, wird man in der Zurückführung der Woche auf das Schöpfungshandeln Jahwes eine Auseinandersetzung mit der babylonischen Astralmythologie erblikken müssen[89], die sich auch in der Depotenzierung der Gestirne Gen 1, 14 ff. äußert. Dennoch ist damit der fremde Mythos nur verdrängt durch eine andere, aber ebenfalls mythische Begründung der Woche und des Sab-

88. Siehe dazu M. Noth: Das zweite Buch Mose, Göttingen 1958 (Das Alte Testament deutsch 5), S. 132.

89. Das Siebentageschema ist erst spät dem Schöpfungsbericht der Priesterschrift aufgeprägt worden (W. H. Schmidt: Die Schöpfungsgeschichte der Priesterschrift, Neukirchen 1964, S. 67 ff.), wohl erst in der Exilzeit (S. 72), in der für eine Auseinandersetzung mit der astralmythischen Begründung der Woche unmittelbarer Anlaß bestand.

bats[90]. Daß auch der mythische Gedanke einer periodischen, kultisch zu begehenden Erneuerung der Zeit Israel nicht fremd gewesen sein dürfte, ist nicht nur im Hinblick auf das Neujahrsfest, für dessen israelitische Gestalt allerdings wenige sichere Anhaltspunkte gegeben sind[91], zu vermuten, sondern auch wegen des eigentümlichen Brauches des Sabbatjahres, einer alle sieben Jahre einzuhaltenden Brache. In dieser Ordnung – und wegen des engen Zusammenhanges mit ihr auch im Sabbat – vermutet M. Noth den Gedanken »einer in bestimmten Zeitabständen zu verwirklichenden Wiederherstellung des Ursprünglichen, einer *restitutio ad integrum*«[92].

Im Zusammenhang mit dem Kultus hat auch eine andere mythische Vorstellungsform sich in Israel durchgehalten, nämlich die Zurückführung der kultischen Einrichtung auf himmlische Urbilder. So wie dem König Gudea von Lagash im Traume durch die Göttin Nidaba die Anordnung für den Bau eines Tempels mitgeteilt wurde[93] und wie er seine Tempelbauten nach göttlicher Anweisung durchführte[94], so zeigte Jahwe nach Ex 24,9 dem Mose auf dem Sinai ein Modell der Stiftshütte und ihrer heiligen Geräte, nach dessen Anweisung dies alles angefertigt werden sollte (vgl. auch Ex 25, 40). Dem chronistischen Geschichtswerk zufolge hat David seinem Sohn Salomo ein Modell des Tempels gezeigt, den er bauen sollte *auf Grund einer Schrift von der Hand Jahwes* (1 Chron 28, 19). Und der Prophet Hesekiel empfing im babylonischen Exil durch eine Vision ein genaues Bild des zu errichtenden neuen Tempels mit allen Einzelmaßen (Hes 40 ff.), und Jahwe selbst beauftragte ihn, dem Volke dies Modell zu übermitteln (43, 10 ff.)[95]. Aber nicht nur der Ursprung des

90. Wenn Schmidt, aaO S. 185 ff, gerade hier das Mythische »preisgegeben« findet, so ist das nur daraus verständlich, daß er eine einseitige Vorstellung von der Zeitlosigkeit des Mythos voraussetzt (ebd.) und nicht beachtet, daß es sich bei dieser Zeitlosigkeit um die virtuelle Jederzeitigkeit des Urzeitlichen handelt.

91. Siehe oben bei Anm. 65. Zum Neujahrsfest vergleiche die Ausführungen von Noth: Das dritte Buch Mose, Göttingen 1962 (Das Alte Testament deutsch 6), S. 150 ff. Nach Noth gehört der »große Versöhnungstag« Lev 16 mit dem Jahreswechsel ursprünglich zusammen, »da eben an dieser Zeitenwende eine große Sühnung am Platze war« (S. 151).

92. Noth: Das zweite Buch Mose, S. 153 ff.

93. E. Burrows, in: The Labyrinth, hg. von S. H. Hooke, London 1935, S. 65 ff.

94. Ancient Near Eastern Texts relating to the OT (ANET), hg. von J. B. Pritchard, 2. Aufl., Princeton 1955, S. 268.

95. Zur symbolischen Bedeutung dieser Maße, besonders zur Anordnung des Tempelhauses als des siebenten Gebäudes nach dem Durchgang durch zweimal drei Tore (in

Tempels, sondern auch seine Einrichtung verrät in wichtigen Einzelheiten mythisches Gepräge. So sicherlich das im Vorhof aufgestellte eherne Meer (1 Kön 7, 22 ff.), das entgegen seiner späteren harmlosen Deutung als Waschbecken (2 Chron 4, 6) ursprünglich das Urmeer dargestellt haben dürfte und immer wieder Spekulationen über eine kultische Rolle des babylonischen Schöpfungsmythos im Jerusalemer Tempel veranlaßt hat. Aber auch der siebenarmige Leuchter wird mythologische Bedeutung gehabt haben, als Weltenbaum, der aus dem Chaos sich erhebend (vgl. die Meerungeheuer im figürlichen Schmuck seiner Basis) die Lichter der sieben Planeten trägt, der *Augen Jahwes, die die ganze Welt durchschweifen* (Sach 4, 10)[96]. Undeutlicher bleiben die mythologischen Beziehungen anderer Teile der Tempelausstattung wie der beiden Säulen am Tempeleingang, sowie der zwölf Stiere, die das eherne Meer tragen, und der Cheruben (1 Kön 6, 23 ff, 7, 15 ff. und 25).

Abgesehen vom Jerusalemer Tempel und seiner Ausstattung handelt es sich bei den mythischen Motiven im Bereich des Kultus nicht in erster Linie um eine Rezeption fremder mythischer Stoffe, sondern um ein der Form nach mythisch gesprägtes Verhalten zu den Inhalten der eigenen, israelitischen Überlieferung. Gerade daraus ergibt sich für den kultischen Sektor eine konstitutive Funktion mythischer Motive im Unterschied zur Rolle mythischer Interpretamente für Traditionen unmythischen Ursprungs, wie sie sich im Bereich des Königtums zeigte. Die mythischen Substrukturen des kultischen Lebens dürften allenfalls durch die spätere Tendenz zu gesetzlicher Observanz überlagert worden sein, soweit kultische Handlungen um der Einhaltung nicht weiter ergründbarer Gebote Jahwes willen weiter vollzogen wurden, auch wo ihr ursprünglich mythischer Sinn verblaßte.

Entsprechung zum siebenten Tage der Schöpfungswoche) und zur Zahl 25 als der im babylonischen Exil zur Zeit der Vision des Propheten verstrichenen Hälfte der Zeitspanne von 7 × 7 Jahren, auf die nach israelitischem Recht (Lev 25) ein Jahr der Freilassung und der Wiederherstellung des ursprünglichen Zustandes folgen sollte, was für den Propheten offenbar zum Anhaltspunkt einer Heilshoffnung für die Exulanten geworden war, siehe Zimmerli: Ezechiel, S. 992 ff., 1020.

96. Näheres dazu im Artikel »Menora« in: Die Religion in Geschichte und Gegenwart, Bd. 4, 3. Aufl., Tübingen 1960, Sp. 859 und in der dort angegebenen Literatur. Siehe auch Gunkel: Schöpfung und Chaos, S. 124 ff.

VII.

Von der Verwendung mythischer Stoffe in der Literatur des alten Israel kann im Rahmen dieses Beitrages kaum mehr als ein oberflächlicher Eindruck vermittelt werden. Erst die religionsgeschichtliche Schule des späten neunzehnten und beginnenden zwanzigsten Jahrhunderts hat erkannt, in welchem Ausmaß besonders die babylonische Mythologie zum Bildungsgut auch des alten Israel gehörte und in seine Sagenüberlieferungen, sowie in seine hymnische und poetische Sprache eingegangen ist[97]. Dabei handelt es sich besonders um Vorstellungen, die mit der Schöpfung, mit Paradies und Sintflut, mit dem babylonischen Turmbau und der Völkerzerstreuung zusammenhängen, also um Stoffe der Urgeschichte, die der Jahwist wie auch später die Priesterschrift der Darstellung der mit der Erwählung Abrahams beginnenden eigentlichen Heilsgeschichte vorangestellt haben[98]. Die beiden Fassungen der Schöpfungsgeschichte selbst sind allerdings durch große Zurückhaltung gegenüber den mythischen Dimensionen ihres Stoffes gekennzeichnet. So sind im priesterschriftlichen Schöpfungsbericht (Gen 1) alle dualistischen Vorstellungen des Götterkampfes gegen den Chaosdrachen, aus dessen Leib der Kosmos gebildet wurde, sorgsam ausgesondert[99]. Mythisch bleibt neben der Vorstellung des magisch wirkenden göttlichen Wortes vor allem der Gedanke einer gründenden Urzeit, einer abgeschlossenen Entstehung der Welt im Anfang. Durch die Einordnung in die priesterschriftliche Chronologie hat die Urzeitlichkeit der Schöpfungsgeschichte jedoch die Möglichkeit der kultischen Wiederholung verloren; sie ist zu einem definitiv vergangenen und gerade so für die weitere Geschichte der Welt grundlegenden Geschehen geworden. Damit hat sie den wesentlichen Zug des Mythos verloren, als anfängliches

97. Vor allem Gunkel hat durch sein Buch »Schöpfung und Chaos in Urzeit und Endzeit«, sowie durch seine Kommentare zur Genesis und zu den Psalmen die überwältigende Fülle mythischer Zitate und Anspielungen verschiedenster Art im Sagengut, in den prophetischen und hymnischen Dichtungen Israels bewußt gemacht, wenn dabei auch der Einfluß babylonischer Mythologie zu einseitig betont ist.

98. Zum Sinn der jahwistischen Urgeschichte vgl. v. Rad: Das erste Buch Mose, Göttingen 1950 (Das Alte Testament deutsch 2), S. 15 ff., sowie R. Rendtorff: Gen 8, 21 und die Urgeschichte des Jahwisten in: Kerygma und Dogma 7 (1961), S. 69–78.

99. v. Rad, aaO S. 62. Childs, aaO S. 42–48, zeigt sehr schön, wie der Jahwist »retained the demonic character of the snake, arising out of the myth, but affirmed that he was a mere creature under God's power« (S. 48), so daß er von »broken myth« sprechen kann.

Geschehen zugleich jederzeit in kultischer Begehung präsent werden zu können[100]. Es handelt sich also hier um eine Historisierung des Mythos[101]. Ähnliches gilt von der jahwistischen Paradiesgeschichte (Gen 2–3). Auch hier ist »das Mythische fast völlig abgestreift«[102]. Die Vorstellungen vom goldenen Zeitalter und vom Paradies als Götterwohnsitz in der Mitte der Welt und bleibender Ursprungsort aller irdischen Fruchtbarkeit stehen im Hintergrund, bilden aber nicht das Thema. Die mythischen Elemente der Paradiesschilderung dienen den Absichten einer ätiologischen Erzählung, die erklären will, woher das Verlangen von Mann und Weib nach einander kommt, worin die Schmerzen der Schwangerschaft, die Mühsal der Arbeit, die Kärglichkeit des Ackerbodens ihren Grund

100. Ich verdanke diesen Hinweis Herrn Kollegen O. H. Steck.

101. Ob eine solche auch in Gen 6,1–4 vorliegt, ist dagegen sehr zweifelhaft, weil überhaupt Bedenken dagegen bestehen, die Erklärung der Herkunft der Heroen aus der Verbindung von Göttern mit menschlichen Weibern als Mythos zu klassifizieren. Obwohl diese hinter Gen 6 stehende Überlieferung immer wieder geradezu als Paradigma für Mythen und ihre Veränderung im AT in Anspruch genommen wird (besonders bei W. H. Schmidt: Mythos im Alten Testament, in: Evangelische Theologie 27 (1967), S. 237–254, bes. 243 ff., vgl. auch Childs aaO S. 49 ff.), und obwohl sich an ihr die Umformung dieses Stoffes bei seiner Einordnung in israelitisches Denken in der Tat besonders deutlich zeigt, fehlen der vorausgesetzten Überlieferung doch die Merkmale des urbildlich gründenden Mythos, wie er im Kult begangen wird. Mag auch in anderen Zusammenhängen die göttliche Herkunft eines bestimmten Heros mythischen Sinn haben – dann nämlich, wenn der Heros selbst als mythischer Urheber bestehender Ordnungen verstanden wird – die in Gen 6 vorausgesetzte Überlieferung hat mit der Frage nach der Herkunft der Heroen selbst schon einen ätiologischen Ausgangspunkt – und gerade darum kann es sich bei ihr nicht um einen Mythos, sondern nur um eine ätiologische Sage handeln (vgl. oben Anm. 66). Daß Mythos und Göttergeschichte nicht identisch sind, bedeutet eben auch, daß nicht überall, wo von Göttern erzählt wird, bereits ein Mythos vorliegt.

102. Die Erörterungen des Bezuges des Schöpfungsaktes auf das Chaos bei Childs: Myth and Reality, S. 30–42, bestätigen im Ergebnis (S. 42) die Feststellung v. Rads zu Gen 1,1 ff., daß die Bezugnahme auf das Chaos (*tehom*) die »Urerfahrung« aufnehme, daß »hinter allem Geschaffenen der Abgrund der Gestaltlosigkeit liegt, daß ferner alles Geschaffene ständig bereit ist, im Abgrund des Gestaltlosen zu versinken, daß also das Chaotische schlechthin die Bedrohung alles Geschaffenen bedeutet« (Das erste Buch Mose, S. 38). Gegenüber v. Rads Meinung, die »eigentlich mythische Bedeutung« sei dabei längst »verloren« (ebd.), ist jedoch zu betonen, daß solche »Urerfahrung« ein mythisches Grundmotiv bildet, obwohl es in der Tat hier nur als Folie des Gotteshandelns erscheint und jede dramatische Ausgestaltung unterbleibt (S. 37). Eine Distanzierung seines mythischen Sinnes läßt sich nur insoweit behaupten, wie die Priesterschrift jene Urerfahrung ausschließlich auf die Situation am Anfang der Schöpfung beschränkt und ihr damit ihre aktuelle Relevanz genommen hat.

haben. Hier liegt der exemplarische Fall einer vom eigentlichen Mythos zu unterscheidenden ätiologischen Erzählung vor, deren erklärende Tendenz dem Mythos fremd ist (siehe oben S. 10 f.). Die mythischen Motive werden in dem durch die ätiologische Tendenz gegebenen Rahmen nur als Ausdrucksmittel herangezogen, und zwar in diesem Falle vorwiegend als Folie, von der sich die gegenwärtige Realität des Daseins abhebt. Zur Erklärung der gegenwärtigen, beschwerlichen Lage des Menschen wird das Gegenbild einer anderen, besseren Lebensform entworfen, die mythisch als die ursprüngliche vorgestellt und in paradiesischen Farben geschildert wird, deren dauernden Genuß der Mensch jedoch durch sein Verhalten verwirkt hat. Ohne die mythischen Züge wäre die verlorene Vollkommenheit nicht darstellbar. Aber diese gilt als definitiv vergangen. Die erzählten Vorgänge selbst haben im Sinne des Erzählers keinen mythischen Charakter, – erst die spätere jüdische Exegese und die Kirchenlehre von Urstand und Sündenfall haben die ätiologische Sage als Mythos rezipiert. Der Figur Adams allerdings, des Menschen schlechthin, der zusammen mit Eva, der *Mutter aller Lebenden* (Gen 3, 20), exemplarisch für alle Menschen steht, wird man mythische Prägung nicht absprechen können. Doch im Rahmen des jahwistischen Geschichtswerkes ist Adam nur noch der historisch erste Mensch, nicht mehr paradigmatisch für alles spätere Menschsein, das vielmehr über den Anfang bei Adam hinausführt durch die Gestalten Noahs, Abrahams, der übrigen Väter und Moses.

Die Vorstellung vom goldenen Zeitalter und von der paradiesischen Lebensform begegnet auch in andern Texten der Bibel. So beschreibt die allerdings in ihrer Herkunft von *Jesaja* zweifelhafte Heilsweissagung Jes 11 das künftige Zeitalter des Messias in den idyllischen Farben des Paradieses:

> Da wird der Wolf zu Gast sein bei dem Lamme und der Panther bei dem Böcklein lagern. Kalb und Jungleu weiden beieinander und ein kleiner Knabe leitet sie (Jes 11, 6).

Die tödlichen Gegensätze in der Tierwelt, wie auch zwischen Tier und Mensch werden überwunden sein. Dieses Motiv aus dem Bilde der paradiesischen Urzeit ist hier zum Inhalt eschatologischer Hoffnung auf eine künftige Vollendung geworden[103]. Dabei liegt nicht die Vorstellung von

103. Childs, aaO S. 63 ff., hebt in Jes 11,6 ff. die spannungslose Einfügung der ursprünglich mythischen »fanciful description« in den prophetischen Gedanken hervor. »The material in its present state has lost its purpose within myth and assumed a new role« (S. 65). Dieser Funktionswandel muß jedoch als das Ergebnis einer Verbindung der ursprünglich mythischen Motive mit einer geschichtlichen Zukunftserwartung begrif-

einer gemäß der Ordnung des Kosmos notwendigen Entsprechung der Endzeit zur Urzeit zugrunde (vgl. Anm. 66), sondern das mythische Motiv wird benutzt, um die Heilsbedeutung der geschichtlichen Hoffnung auf die Wiederaufrichtung des Tempels oder auf einen echten Nachfolger Davids auf dem Thron von Jerusalem auszumalen. Wir stoßen hier auf ein weiteres Beispiel dafür, wie durch mythische Bilder die Allgemeingültigkeit einer – hier von der Zukunft erwarteten – geschichtlichen Erscheinung zum Ausdruck gebracht wird.

Motive des babylonischen Schöpfungsmythos begegnen in einer großen Zahl alttestamentlicher Texte als literarische Reminiszenz, meistens jedoch in der Brechung durch den kanaanäischen Baalmythos. Besonders die Verbindung des Motivs vom Kampf mit dem Meeresdrachen, das in Babylon dem Gott Marduk zugeschrieben und als dessen Schöpfungstat gefeiert wurde, mit Zügen einer Gewitterheophanie, aber ohne ausdrückliche Bezugnahme auf den Schöpfungsakt, erklärt sich aus der ugaritischen Variante des babylonischen Mythos, die dem Sturm- und Donnergott Baal zwar den Kampf mit dem Meer, nicht aber die Weltschöpfung zuschrieb, die vielmehr dem älteren Gott El vorbehalten blieb[104]. Obwohl in Israel Drachenkampf und Schöpfung wieder auf einen einzigen Gott, auf Jahwe, zusammenfielen, bleiben doch in den mythischen Anspielungen der *Psalmen* Züge des Baalmythos erkennbar. Dabei dienen die mythischen Reminiszenzen der Ausmalung der für Israel grundlegenden Geschichtsereignisse, besonders in der Schilderung des Durchzugs durchs Meer beim Auszug aus Ägypten:

Du hast dein Volk mit starkem Arm erlöst,
die Kinder Jakobs und Josephs.
Die Wasser sahen dich, Gott, sahen dich und erbebten,

fen werden. Ähnliches gilt für Texte, die das Paradiesesmotiv einer üppigen, mühelos gedeihenden Vegetation im Zusammenhang eschatologischer Verheißungen aufgreifen, wie Hes 47,12, Joel 4,18 und ein später Zusatz zum Amosbuch (9,13): Bei Hesekiel und Joel ist die Fruchtbarkeit Wirkung eines künftig vom Tempelberg entspringenden Quells oder Stromes (vgl. noch Apk 22,1), in Am 9,13 steht sie dagegen ähnlich wie in Jes 11 in Verbindung mit der politischen Hoffnung auf Erneuerung des davidischen Königtums.

104. Während Gunkel alle Reminiszenzen eines Drachenkampfes im AT als Anspielungen auf das babylonische Schöpfungsepos auffaßte, ist durch die Entdeckung der ugaritischen Texte von Ras Schamra eine differenziertere Deutung möglich geworden. So betont W. H. Schmidt (Königtum Gottes in Ugarit und Israel, S. 46 ff.) im Anschluß an G. Kaiser (Die mythische Bedeutung des Meeres in Ägypten, Ugarit und Israel, Berlin 1959) die Unterschiede zwischen der babylonischen Tiamat-Mythe und der ugaritischen vom Kampfe Baals gegen das Meer (*Jam*).

die Meerestiefen erzitterten,
es gossen Wasser die Wolken,
es donnerte das Himmelsgewölk,
und deine Pfeile fuhren dahin.
Rollend erdröhnte dein Donner,
deine Blitze erhellten den Erdkreis;
die Erde, erbebte, erzitterte.
Dein Weg ging durchs Meer
und dein Pfad durch gewaltige Wasser,
doch deine Spuren waren nicht zu erkennen.
Du führtest dein Volk wie eine Herde
durch Moses und Aarons Hand (Ps 77, 16–21)[105].

Besonders eindrucksvoll hat *Deuterojesaja* in Erwartung der nahen Befreiung der Exulanten aus Babylon die Erinnerung an die alten Heilstaten Jahwes, vor allem an die Rettung vor den ägyptischen Verfolgern beim Durchzug durch das Schilfmeer in der Sprache des Drachenkampfmythos beschworen:

Wach auf wie in der Vorwelt Tagen, bei den Geschlechtern der Urzeit!
Bist du es nicht, der Rahab zerhieb und den Drachen durchbohrte?
Bist du es nicht, der das Meer ausgetrocknet,
die Wasser der großen Urflut?
Der die Meerestiefen zum Wege machte,
damit hindurchzogen die Erlösten? (Jes 51, 9 ff.).

Für sich genommen ließe ein solcher Text kaum eine Entscheidung der Frage zu, ob hier die mythischen Motive als Interpretament der Heilsgeschichte zitiert werden, oder ob sie die letztere überhaupt erst konstituieren durch Transposition historischer Begebenheiten in das Licht mythischer Urzeit[106]. Erst die Kenntnis des Zusammenhangs der Botschaft *Deuterojesajas*, besonders seiner Betonung der beispiellosen Neuheit des von ihm angekündigten, künftigen Geschehens (Jes 42, 9; 43, 18 ff.) zeigt, daß die mythischen Motive hier zum poetischen Interpretament geworden sind. Welche Funktion fällt ihnen dabei zu? Die Frage ist noch nicht durch den Hinweis beantwortet, daß der Mythos wie auch die alttesta-

105. Siehe auch Ex 14, 26 ff. Deutlichere Anklänge an die Schöpfung und damit an die babylonische Fassung des Mythos finden sich im Ps 89, 10 ff.: Hier wird die Schöpfermacht Jahwes, *der Rahab niedergetreten hat wie einen Erschlagenen* (v. 11), angerufen zum beständigen Schutz der Nachfolger Davids gegen ihre Feinde. Das vielleicht selbständige mythische Motiv des Völkeraufruhrs gegen Jahwe und des Völkerkampfes (vgl. Ps 2, 11 ff. u. ö. sowie Schmidt, aaO S. 91 ff.) wird im Ps 74, 13 ff, mit dem Motiv des Gotteskampfes der Schöpfung verbunden. Vgl. auch 68,31, sowie Jes 17,12 ff.

106. Ähnlich Schmidt aaO S. 52.

mentlichen Geschichtserzählungen von einer Tat Gottes sprechen[107]. Vielmehr ist zu fragen, was die mythische Anspielung leistet für die Intention des prophetischen Textes. Dabei fordert die eigentümliche Verknüpfung von Schöpfungsglauben und Geschichtshandeln bei *Deuterojesaja* Beachtung[108]. Die Geschichtstaten Jahwes werden der Zufälligkeit und Belanglosigkeit des gewöhnlichen Geschehens entnommen, indem sie als Schöpfungstaten dargestellt werden, und umgekehrt wird der Schöpfungsglaube, der *Deuterojesaja* durch die Jerusalemer Kulttradition vorgegeben war, in der Ablösung von seiner mit der Zerstörung des Tempels abgebrochenen kultischen Begehung als aktuelle geschichtliche Erfahrung erneuert.

In anderer Weise wird der Drachenkampfmythos von Hesekiel aufgenommen und verwendet, wenn er in zweien seiner Ankündigungen der bevorstehenden Niederwerfung Ägyptens durch Nebukadnezar den konventionell im Bilde des Krokodils dargestellten Pharao mit Zügen ausstattet, die an den Chaosdrachen der Urzeit erinnern (Hes 29, 3–6; 32, 2–8). Zwar sollte man hier nicht von Allegorie sprechen[109], wohl aber handelt es sich um eine mythische Überhöhung des den Pharao (und mit diesem wieder Ägypten) darstellenden Krokodilbildes[110]. Dabei wird ähnlich wie in der ebenfalls auf Ägypten gemünzten Bildrede vom Sturz des Weltenbaumes, dessen Wurzeln in die Chaoswasser hinabreichen, dessen Wipfel bis in die Wolken ragt (Kap. 31), »mit der Kühnheit der mythischen Aussage sichtbar gemacht, daß in irdischer Machtballung hintergründige, uranfängliche Mächtigkeiten mit im Spiele sind«[111].

Eine eigentümliche Depotenzierung des Chaosdrachens Leviathan findet sich im 104. *Psalm* und im Buche *Hiob*. Er erscheint hier in der ver-

107. So beantwortet Schmidt, aaO S. 52 ff., die allgemeiner gestellte Frage: »Warum konnte das Alte Testament den Mythos aufgreifen?«

108. Siehe R. Rendtorff: Die theologische Stellung des Schöpfungsglaubens bei Jesaja, in: Zeitschrift für Theologie und Kirche 51 (1954), S. 3–13, bes. 12 ff.

109. So Gunkel: Schöpfung und Chaos, S. 73 ff. Die für eine Allegorie charakteristische Zuordnung der Einzelzüge des Bildes zu Einzelheiten des gemeinten Sachverhaltes fehlt hier jedoch. Zur Frage der Allegorie bei Hesekiel vergleiche auch Zimmerli: Ezechiel, S. 343 ff. Zu den Worten gegen den Pharao ebd. S. 707 ff., 767 ff.

110. Hierher gehört auch die offenbar geläufige Bezeichnung Ägyptens als Rahab Jes 30,7 und Ps 87,4.

111. Zimmerli aaO S. 762. In der Bildrede vom Weltenbaum, der im Paradiesesgarten alle anderen Bäume überragt und von ihnen beneidet wird, sowie andererseits durch sein gewaltiges Geäst Schutz und Schatten gewährt, wird man schon eher einzelne allegorisierende Motive finden können, allerdings ebenfalls keine durchgeführte Allegorie.

hältnismäßig harmlosen Rolle eines staunenerregenden Fabelwesens. Die Züge des Drachenkampfmythos werden zu Motiven eines zweckfreien göttlichen Spieles: Jahwe zieht den Leviathan mit der Angel herauf, legt Haken in sein Maul, durchbohrt seine Wange mit einem Ring (Hi 40, 25 ff.). Diese Depotenzierung des Chaostieres dürfte Ausdruck des Schöpfungsglaubens sein, der die Vorstellung nicht mehr ertrug, daß Jahwe seine Schöpfermacht erst im Kampfe gegen einen ernsthaften Gegner erringen mußte. Dadurch wurde noch nicht die Annahme der Existenz des Chaostieres hinfällig. Wohl aber wurde es funktionslos. Ein neuer Sinn wird der Existenz des Leviathan gegeben, wenn es ausdrücklich heißt, zum Spielzeug habe Jahwe ihn sich erschaffen (Ps 104, 26, vgl. Hi 40, 29). Dabei ist wohl immer noch ein mythisches Wissen um die schreckenerregende Macht des Urzeitungetüms vorauszusetzen. Die Schöpfermacht Jahwes wird dadurch ins rechte Licht gerückt, daß er mit diesem Untier wie mit einem Spielzeug umgeht, das er für sich selbst geschaffen hat.

Daß der Drachenkampfmythos im Rahmen prophetischer Drohworte gegen fremde Völker verwendet werden konnte, hat sich am Beispiel *Hesekiels* gezeigt. Auch andere mythische Motive wurden zu diesem Zweck aufgegriffen, so Hes 31 der Mythos vom Weltenbaum im Paradiese. Besonders die Form der Totenklage bot offenbar der mythischen Ausmalung Raum. Ein Beispiel dafür ist das Klagelied über den König von Tyrus (Hes 28, 11 ff.), das diesen als den Urmenschen im Paradiese darstellt, der wegen seiner Hoffart verstoßen und feindlichen Königen preisgegeben wurde. Der Prophet überhöht hier das erwartete Schicksal von Tyrus, das neben Ägypten allein noch der babylonischen Macht widerstand, indem er in ihm die Urtragik des Menschen überhaupt hervortreten läßt. Als Totenklage ist auch die Schilderung der Hadesfahrt Ägyptens Hes 32, 17–32 gestaltet, in der die mythologischen Züge der Hadesfahrt altorientalischer Gottheiten allerdings kaum anklingen. Das Motiv der Hadesfahrt erscheint auch in dem Jes 14, 4 ff. überlieferten Spottlied auf den Fall Babylons. Hier wie dort wird die Tiefe des Sturzes nicht nur durch das Hinabgestoßenwerden aus höchster Höhe in die Unterwelt geschildert, sondern auch durch die entehrende Verweigerung eines ordentlichen Begräbnisses. Darüber hinaus schildert Jes 14 den Fall Babylons in der Sprache des Gestirnglaubens, dem die Babylonier anhingen, aber auch mit Zügen kanaanäischer Mythologie. Gunkel deutete den mythologischen Hintergrund des Textes so: »Der Morgenstern, Sohn der Morgenröte, hat ein eigentümliches Geschick. Hell erstrahlend eilt er am Himmel empor, aber er kommt nicht zur Höhe, die Sonnenstrahlen machen ihn erblassen. Diesen Naturvorgang schildert der Mythos als einen Kampf 'Eljons gegen Hêlal, der einst zur Höhe des Himmels hinauf wollte, aber zur Unterwelt herab mußte«[112]. Deutlich erkennbar ist heute der kanaanäische Hintergrund dieses Gedankens eines Königtums Jahwes im Alten Testament[113]. Der Ursprung dieses Gedankens hängt thematisch nicht mit dem davidischen Königtum zusammen und könnte sehr wohl älter sein als die Institution des Königtums in Israel. Der Gedanke eines Königtums Jahwes bringt in einer Zeit, die noch mit der Existenz anderer Götter rechnete, Jahwes Überlegenheit über die Götter zum Ausdruck: *Ein großer Gott ist Jahwe und König über alle Götter (Ps 95, 3,* vgl. 97, 7). Diese Überlegenheit Jahwes wird in der Regel als seit Urzeiten bestehend vorgestellt. Einige Texte lassen jedoch erkennen, daß sie in Auseinandersetzung mit andern Göttern erkämpft wurde. So besonders Ps 82. Hier tritt Jahwe in der Götterversammlung, die unter dem Vorsitz des ugaritischen Göttervaters El stattfindet, auf und beschuldigt die andern Götter des ungerechten Gerichts. Ein ähnlicher Gedanke findet sich in Ps 58. Dieses Auftreten erinnert an das Baals, der sich ebenfalls gegen die andern Götter durchsetzen muß und so König wird, nicht immer schon König ist. Allerdings ist das Königwerden Baals gebunden an den Kreislauf der Vegetation, während es bei Jahwe um die Herrschaft des Rechtes geht. Vor allem aber ist das Königtum Jahwes im Alten Testament nirgends *nur* ein werdendes. Die dynamischen Züge des Königtums Baals sind bei ihm mit denen des seit Urzeiten bestehenden Königtums Els, des Schöpfergottes, verschmolzen. Alsbald treten auch die Götter als Gegenstand der königlichen Herrschaft Jahwes zurück, denn *alle Götter der Völker sind nichtig, aber Jahwe hat die Himmel geschaffen* (Ps 96,5). Als Gegenstand seiner Herrschaft gilt nun in erster Linie Israel, sodann die Welt der Völker. Doch ist es charakteristisch, daß das Königtum Jahwes in Israel immer auch die dynamischen Züge einer noch in der Geschichte durchzusetzenden Herrschaft trägt. Das bildet den Ausgangspunkt für die in der späten Prophetie entstehende Hoffnung auf eine alle menschliche Herrschaft ablösende Herrschaft Gottes selbst, die der Folge der Weltreiche ein Ende bereiten wird. Hier hat der Mythos, und zwar ausgerechnet der Baalmythos, eine Hilfsfunktion für die Ausbildung eines der zentralen

112. Gunkel: Schöpfung und Chaos, S. 133. Vgl. auch Childs aaO S. 67 ff.

113. Siehe zum folgenden Schmidt: Königtum Gottes in Ugarit und Israel, S. 85 ff. und passim. Zu den »Thronbesteigungspsalmen« 47, 93, 96–9, ebd. S. 74 ff.

biblischen Motive, des Gedankens der zukünftigen Königsherrschaft Gottes, gehabt.

In ganz anderer Weise lassen die Worte des Propheten *Hosea* die Auseinandersetzung des Jahweglaubens mit dem Baalmythos erkennen. Hier geht es nicht um den Gedanken des kämpfend errungenen Königtums Baals, der in Israels Gottesverständnis rezipiert werden konnte, sondern gerade um die dabei abzustreifenden Züge des Vegetationsglaubens, der die Substanz des Königtums Baals bildete. Dabei zeigt sich eine auch in ihrer literarischen Form äußerst kunstvolle Verwendung der mythischen Motive so, daß diese gegen die ursprüngliche Intention des Mythos gekehrt werden und nun geradezu Israels Abfall zu den Vegetationskulten geißeln. *Hosea* benutzt die Sprache des Mythos von der heiligen Hochzeit Baals mit Anath, die sich vollzieht in dem das Land zur Frühjahrs- und Herbstzeit befruchtenden Regen und die durch kultische Prostitution begangen wurde, um das Verhältnis Jahwes zu seinem Volke als das des göttlichen Liebhabers zu seiner Geliebten darzustellen (Hos 3, 4–17). Daß die Liebe Jahwes dem Volke, nicht dem Lande gilt, ist eine erste Abweichung von der vegetationsmythischen Fassung des Gedankens. Die Wendung zur Polemik erfolgt dadurch, daß die Geliebte Jahwes als treulos, als Dirne dargestellt wird, und zwar gerade insofern, als Israel sich am Fruchtbarkeitskult mit seiner kultischen Prostitution beteiligt. Durch Einführung der Gedanken von Ehebruch und Ehescheidung »ist am Ende ein mythisches Element in eine Gleichnisrede verwandelt, die schärfstens gegen den Einbruch des kanaanäischen Mythos in Israel polemisiert«[114].

VIII.

An verschiedenen Beispielen wurde bereits deutlich, daß zu den literarischen Funktionen, die mythische Motive im Zusammenhang prophetischer Dichtungen übernehmen konnten, auch die der Ausmalung einer künftigen Heilszeit gehört. Das zeigte sich besonders bei der Inanspruch-

114. H. W. Wolff: Dodekapropheton I: Hosea, 2. Aufl., Neukirchen 1965 (Biblischer Kommentar zum AT, Bd. XIV, 1), S. 54. Zum mythischen Hintergrund des Abschnittes bes. S. 47. Ähnlich spielt Hos 5,6 auf das Motiv von der Abwesenheit des in die Unterwelt gefahrenen Baal, der nun vergeblich gesucht wird, an und überträgt letzteres auf Jahwe, der sich den ihn Suchenden zürnend entziehen werde (S. 127).

nahme der Vorstellungen paradiesischen Friedens und paradiesischer Fruchtbarkeit im Rahmen eschatologischer Heilsworte. Doch auch das Motiv des Chaosdrachenkampfes ist ins Eschatologische gewendet worden. Während es in älteren Texten zumeist als Erinnerung an das göttliche Schöpfungs- und Heilshandeln der Urzeit erscheint, wurde es schon in *Hesekiels* mythischer Stilisierung des Pharao Hes 32, 2; 29, 3 auf bevorstehende geschichtliche Auseinandersetzungen projiziert. Eine ähnliche, aber im Unbestimmten bleibende Andeutung findet sich in Ps 68, 31: *Bedrohe das Tier im Schilf, die Rotte der Starken unter den Völkerkälbern.* Eine Anwendung auf die Endzeit begegnet zuerst in der aus nachexilischer Zeit stammenden sogenannten *Jesajaapokalypse* (Jes 24–27):

An jenem Tage wird Jahwe mit seinem grausamen, großen und starken Schwert heimsuchen den Leviathan, die gewundene Schlange, und den Leviathan, die gekrümmte Schlange, und wird töten den Drachen im Meer (Jes 27, 1).

Auch hier ist vielleicht an drei geschichtliche Reiche zu denken, die unter dem Bilde der drei mythischen Tiere vorgestellt werden[115]. Darin berührt sich dieses Wort mit der Vision der Danielapokalypse von den vier Tieren, die aus dem von Stürmen aus allen vier Himmelsrichtungen[116] erregten Urmeer aufsteigen (7, 2 ff.)[117]. Allerdings handelt es sich dort nicht um endzeitliche Zukunft, sondern um die Abfolge der Weltreiche seit der Zerstörung Jerusalems: Babylonier, Meder, Perser, Griechen. Dagegen werden nach Hen 60, 7 ff. (vgl. v. 24) die beiden Chaosungeheuer Leviathan und Behemoth beim Strafgericht der Endzeit nochmals eine nicht näher bezeichnete Rolle spielen, und ähnlich geheimnisvolle Andeutungen finden sich im IV. Esra (6, 52) und in der *Baruchapokalypse* (29, 4)[118]. Auch in der *Johannesapokalypse* tritt das *Tier aus dem Abgrund* (11, 7 vgl. 12, 18) in der Schilderung der Endzeit auf, hier als Kennzeichnung des römischen Weltreichs, und der angekündigte Endkampf gegen

115. So schon Gunkel: Schöpfung und Chaos, S. 47 ff. Vgl. O. Plöger: Theokratie und Eschatologie, Neukirchen 1959, S. 90.

116. Vgl. Hes 37,9, dazu Zimmerli: Ezechiel, S. 895, besonders den Hinweis darauf, daß im babylonischen Schöpfungsepos Marduk die vier Winde zu Hilfe ruft, um von allen Seiten auf Tiamat einzublasen, »damit nichts von ihr entkommen könne« (Enuma elish 4,46, Ancient Near Eastern Texts 66; siehe oben Anm. 94). Von daher wieder legt sich die Erinnerung an den ›Gottessturm‹ über die Urflut Gen 1,2 nahe.

117. Dazu siehe Noth: Gesammelte Studien zum AT, München 1957, S. 266 ff., sowie O. Plöger: Das Buch Daniel, Gütersloh 1965 (Kommentar zum AT, Bd. 18), S. 108 ff., ferner K. Koch, in: Historische Zeitschrift 193/1 (1961), S. 9 ff. und 25 ff.

118. Weitere Belege bei Gunkel: Schöpfung und Chaos, S. 314 ff.

das Tier (Kap. 17–19, bes 19, 20 ff.) fügt sich ebenso wie der zuvor geschilderte, im Himmel stattfindende Kampf Michaels gegen den Drachen (12, 7 ff.) als spätes Glied in die Wirkungsgeschichte des Chaosdrachenkampfmotivs ein[119]. Dabei hat die *Johannesapokalypse* in das Gemälde des Endkampfes zwischen göttlichen und gegengöttlichen Mächten auch das dem Drachenkampf verwandte, schon im Alten Testament mit ihm verbundene Motiv des Völkersturms aufgenommen (19, 19 ff., 20, 7 ff.). Auch hier handelt es sich um ein ursprünglich mythisches Motiv (siehe oben S. 53), das eschatologisch gewendet worden ist. Der Punkt des Umschlags in eschatologische Zukunftsvision läßt sich in diesem Falle sogar bezeichnen: Er liegt bei *Hesekiel*, der *Jeremias* noch nicht eingelöste Ankündigung des Einfalls eines Volkes *von Norden* (Jer 6, 22) erneuerte im Hinblick auf ein zeitgeschichtlich noch unbestimmtes Geschehen, das *Hesekiel* als einen Endkampf Jahwes selbst auf den Bergen Israels (Hes 39, 4), dem Nabel der Erde (38, 12), gegen einen Fürsten Gog aus dem Lande Magog und seine Hilfsvölker schaute[120]. Die Erinnerung an diese Weissagung hat sowohl in der Schilderung des Endkampfes Jahwes gegen die unter Führung Belials stehenden Mächte der Finsternis in der Kriegsrolle von Qumran Spuren hinterlassen[121], als auch in der *Johannesapokalypse*, der zufolge die letzte Entscheidungsschlacht bei Jerusalem gegen *Gog und Magog* stattfinden (20, 8) und durch Gottes eigenes wunderbares Eingreifen entschieden werden wird[122].

Solchen Vorstellungen liegen zweifellos mythische Motive zu Grunde, wie sie auch sonst in der apokalyptischen Literatur eine große Rolle spielen[123], die hier aber als Bestandteile der Endereignisse auftreten. H.

119. Bereits Gunkel aaO S. 336 ff., hat den Drachen und das Tier aus dem Abgrund für »Doppelgänger« (S. 338), für zwei Ausprägungen desselben Motivs erklärt. Die einseitige Zurückführung auf die babylonische Vorstellung des Drachenkampfs stößt hier jedoch auf Schwierigkeiten. Die Erzählung in Kap. 12 von der Geburt des Kindes, seiner Flucht vor dem Drachen und dem späteren siegreichen Kampf des Kindes gegen ihn dürfte ihre nächste Parallele eher in Ägypten haben, vgl. E. Lohse: Die Offenbarung des Johannes, Göttingen 1960 (Das Neue Testament deutsch 11), S. 64 ff.

120. Zur traditionsgeschichtlichen Analyse des Abschnitts Hes 38–39 siehe Zimmerli: Ezechiel, S. 938 ff.

121. IQMI 4 bezeichnet die Feinde als *Könige des Nordens;* der Hymnus I QM XI nennt in den leider weitgehend zerstörten Schlußversen Gog als Gegner (v. 16).

122. Zum Abschnitt. Offb 20,1–10, siehe E. Lohse: Die Offenbarung des Johannes, S. 95 ff.

123. Es sei nur auf die astralmythischen Motive hingewiesen: Bei den Offb 1,16 und 20 genannten sieben Sternen handelt es sich, wie schon bei den sieben Augen Gottes Sach 4,10, um die sieben Planeten, denen die Hauptgötter Babylons zugeordnet waren: Sie

Gunkel, der als einer der ersten auf diese Zusammenhänge hingewiesen hat, fand darin die Auffassung, »daß das Eschatologische dem Urzeitigen gleich sein werde«: »In der Endzeit wird sich wiederholen, was in der Urzeit gewesen ist: der neuen Schöpfung wird ein neues Chaos vorangehen; die Ungetüme der Urzeit erscheinen auf der Erde zum zweiten Male«[124]. Diese Entsprechung ist sodann als Ausdruck der »zyklischen« Natur des Mythos selbst verstanden worden[125]. Die Meinung, daß sich in der Entsprechung der Endzeit zur Urzeit, wie sie im Kreislauf des Jahres anschaulich wird, das für den Mythos charakteristische Zeitverständnis äußere und daß es sich bei den eschatologischen Vorstellungen um eine derartige Entsprechung oder Gleichheit handle, bildet die Grundlage für die Erneuerung der Auffassung, daß die eschatologischen Vorstellungen des Judentums und des Urchristentums als mythisch zu beurteilen seien. So erwuchs nach Bultmann die jüdische Eschatologie aus dem durch »Übertragung der Periodizität des Jahreslaufes auf das Weltgeschehen« gebildeten »Gedanken der *Periodizität des Weltgeschehens«*, indem diese Periodizität beschränkt wurde auf einen einzigen Umlauf, ein einziges Weltenjahr[126]. Voraussetzung einer solchen Beurteilung der religionsgeschichtlichen Herkunft der jüdischen Eschatologie ist die schon von Gunkel behauptete Gleichheit der Endzeit mit der Urzeit. Bei genauerem Zusehen zeigt sich jedoch, daß in den eschatologischen Texten der jüdischen und urchristlichen Literatur zwar eine *Entsprechung* der Endzeit zur Urzeit zum Ausdruck kommt, also nicht einfach ein »lineares« Verständnis des geschichtlichen Fortgangs[127], aber auch *keine Gleichheit*, keine

wurden im Judentum depotenziert zu sieben Erzengeln (Tob 12,15 vgl. Hen 20,1 ff., wo der griechische Text sieben, der äthiopische nur sechs Erzengel zählt), und diesen entsprechen die sieben Geister Offb 1,4; 4,5; 5,6. Auch die sieben Leuchter 1,12,20; 2,1 gehen ebenso wie der siebenarmige Leuchter des jüdischen Tempels (siehe oben S. 45) auf diesen Ursprung zurück. Die vierundzwanzig auf Thronen sitzenden Ältesten (Offb 4,4) weisen auf die babylonische Zählung von 24 Sternen, bzw. Göttern zurück, und bei den *vier Wesen*, die nach Offb 4,6 um den Thron Gottes stehen, handelt es sich um die nach babylonischem Glauben das Himmelsgewölbe stützenden Sternbilder des Stiers, des Löwen, des (als Mensch dargestellten) Skorpions und des Adlers, die in der christlichen Überlieferung zu Evangelistensymbolen geworden sind.

124. Gunkel: Schöpfung und Chaos, S. 369 und 370.

125. H. Gressmann: Der Ursprung der israelitisch-jüdischen Eschatologie, Göttingen 1905, S. 160 ff.

126. R. Bultmann: Geschichte und Eschatologie, 2. Aufl., Tübingen 1964, S. 24 und 26 ff.

127. So war von A. Weiser (Glaube und Geschichte im AT, Stuttgart 1931, S. 23 ff.) und von W. Eichrodt (Theologie des AT, Bd. 1, 3. Aufl., Göttingen 1948, S. 244 ff.,

Rückkehr zum Anfang[128]. Vielmehr handelt es sich um diejenige Entsprechung, die seit langem unter dem Stichwort Typologie[129] diskutiert wird. Die Ausstattung der Endzeiterwartung mit urzeitlichen Motiven von Schöpfung und Paradies fügt sich bei einer solchen Betrachtung in ein Gesamtbild des Traditionsgebrauchs zur Ausmalung der Endzeiterwartung ein, für das der Rückgriff auf geschichtliche Heilssetzungen charakteristisch ist, deren wiederholende und überbietende Vollendung von der Endzeit erhofft wird. So stehen neben den Motiven des Chaosdrachenkampfes, mit denen sich die Ausmalung der Schrecken der Endzeit verbindet, und neben den paradiesischen Zügen, mit denen die darauf folgende Heilszeit geschildert wird, die Erwartungen eines neuen Exodus, eines neuen Bundesschlusses, eines neuen Tempels, eines neuen David – des Messias –, eines neuen Elia und eines neuen Mose. An einigen Beispielen zeigte sich bereits, daß dabei die mythischen Stoffe außerisraelitischer Herkunft als Interpretamente der spezifisch israelitischen Geschichtshoffnungen verstanden werden müssen: Die Erwartung paradiesischer Zustände erwies sich in Jes 11, 6 ff. und Am 9, 13 ff. als Interpretament für die segenreiche Herrschaft des künftigen Davididen, des Mes-

252 ff.) eine Durchbrechung des zyklischen Zeitverständnisses altorientalischer Mythologie durch ein lineares, heilsgeschichtliches Denken behauptet worden. Doch diese Auffassung trägt nicht dem charakteristischen Phänomen der Wiederholung früheren Geschehens Rechnung, das man in Zusammenhang mit dem rhythmischen Zeitverständnis der Israeliten sehen muß (vgl. dazu T. Boman: Das hebräische Denken im Vergleich mit dem Griechischen, 3. Aufl., Göttingen 1959, S. 114 ff.).

128. B. S. Childs hat unter Berufung auf Boman, Ratschow, Robinson, Marsh u. a. die Argumentation von Weiser und Eichrodt zu Gunsten eines linearen Zeitverständnisses im AT als eine moderne, auf das AT nicht zutreffende Vorstellung zurückgewiesen (S. 75 ff.), andererseits aber auch bestritten, daß die Beziehung zwischen Urzeit und Endzeit in Israel »one of simple identity« gewesen sei (77). Zur Begründung verweist Childs besonders auf den Begriff des Neuen bei Deutero- und Tritojesaja, sowie bei Jeremia (78 ff).

129. Siehe dazu L. Goppelt, Typos. Die typologischen Deutungen des Alten Testaments im Neuen (1939) Nachdruck 1966, S. 34 ff. und besonders v. Rad: Theologie des AT, Bd. 2, S. 374 ff. bes. 381 ff. In meinem Artikel »Heilsgeschehen und Geschichte« (1959), jetzt in: Grundfragen systematischer Theologie, Göttingen 1967, habe ich (S. 33 ff.) gegenüber einer früheren Fassung des Typologiegedankens bei v. Rad den Einwand erhoben, daß typologische Strukturanalogien nicht die spezifisch geschichtliche Kontinuität des Überlieferungsweges von Israel zum Urchristentum darstellen können. Unbeschadet dessen haben im Rahmen einer anderweitig begründeten Erfahrung geschichtlicher Kontinuität das Erlebnis analoger Widerfahrnisse und mehr noch die Erwartung künftigen Geschehens nach Analogie des vergangenen zweifellos eine positive und wichtige Funktion gehabt.

sias (vgl. auch syr. Baruch 29, 5), und der neuen *Einpflanzung* im verheißenen Lande, – bei Joel 3, 18, Hes 47, 1 ff. (auch wohl Sach 14, 8 ff.) hingegen handelt es sich, wie die Vorstellung von einer beim Tempel entspringenden fruchtbaren und heilsamen Quelle zeigt, um ein Interpretament für die Heilskraft eines neuen, im Sinne des Jahwedienstes reinen Kultus. Auch die Vorstellung einer neuen Schöpfung steht Jes 65, 17 ff. im Zusammenhang mit der Hoffnung auf die Erlösung Jerusalems, auf seine Verwandlung zu *Jubel* und *Frohlocken.* Die Züge des Chaosdrachenkampfes begegnen nicht zufällig zunächst in der Ausmalung der geschichtlichen Heilstat des Durchzugs durch das Schilfmeer, und ihre Übertragung auf zeitgenössische Kämpfe und dann, bei *Hesekiel* und in der *Jesajaapokalypse,* auf ein unbestimmtes Ereignis der Zukunft läßt sich Zug um Zug als Ausdruck der geschichtlichen Erfahrung der Propheten verfolgen. Die verwandte Vorstellung vom Völkersturm gegen den Zion ist allerdings schon früh stereotyp gewesen (Ps 2), weil sie in die Zionsideologie eingegangen, vielleicht schon in vorisraelitischer Zeit mit den kanaanäischen Traditionen des Stadtstaates Jerusalem verbunden war. Ein derartiges Stereotypwerden von Motiven, deren Funktion als Interpretament in älteren Texten noch deutlich erkennbar ist, läßt sich verschiedentlich in der apokalyptischen Literatur beobachten, so besonders für die paradiesische Fruchtbarkeit der Endzeit (Hen 11, 19) und für das Auftreten von Behemoth und Leviathan Hen 60, 7, IV. Esra 6, 49 ff., syr. Baruch 29, 4.

Die typologische Inanspruchnahme geschichtlicher Heilserfahrungen und in Zusammenhang mit ihnen auch mythischer Motive zielt immer auf eine Zukunft, die das als Typos herangezogene Geschehen übersteigt, keine bloße Wiederholung des Vorbildes sein wird. Darin unterscheidet sich das typologische vom genuin mythischen Denken, das keine die mythische Urzeit überschreitende und so entmächtigende Zukunft kennt. Die typologische Analogie ermöglicht jedoch ein inhaltsvoll bestimmtes Bewußtsein von der Zukunft unbeschadet ihrer Neuartigkeit. Nur im Licht gegenwärtiger Erfahrung oder aber des Überlieferten läßt sich ja Künftiges überhaupt zur Sprache bringen. Daß die Neuartigkeit des Künftigen dabei nicht verkannt zu werden braucht, ist darin begründet, daß die Bedeutung von Ereignissen ihr bloßes Geschehensein übersteigt. Je bedeutsamer ein Ereignis ist, desto stärker weist es über seine einmalige historische Faktizität hinaus. Was als bedeutsam in die Überlieferung eingeht, das birgt noch unabgegoltene, zukunftsweisende Wahrheit. Wenn der davidische König sich als Sohn Gottes, d. i. als zur Weltherrschaft berufen verstand und zugleich als der Mittler von Frieden und Gerechtigkeit, dann überstieg der Glanz dieser Idee gerade deshalb, weil einmal, zur Zeit Davids und Salomons, etwas von ihm in geschichtlicher Erscheinung faßbar geworden war, die ganze Reihe ihrer seitherigen Verwirklichungen und ließ Ausschau halten nach einer Zukunft ihrer vollgültigen Realisierung. Ebenso ließ der Bundesschluß Jahwes mit Israel unter dem Eindruck der Erfahrung des geschichtlichen Versagens des Volkes vor Jahwes Bundeswillen den Gedanken an ein neues, bundestreues Israel aufkommen. Der salomonische Tempel war durch Götzendienst entweiht und nie so reine Quelle des Heils gewesen, wie es *Hesekiel* und andere von der Neubegründung des Jahwekultus im neuen Tempel erhoffen. Wo das Tradition auslösende Geschehen in seiner Historizität und damit in seiner Unvollkommenheit und Hinfälligkeit bewußt bleibt, da wird – anders als beim urzeitlichen Geschehen des Mythos – seine Bedeutung als hinausweisend über seine geschichtlichen Anfänge erfahren werden. Geschichtliche Erfahrung solcher Art bildet die Voraussetzung einer Deutung der Zukunft im Lichte des Überlieferten, die dennoch das Künftige als Überholung alles Bisherigen erwartet. Die eschatologischen Vorstellungen der jüdischen Überlieferung sehen also für das Endgeschehen, auf das sie sich richten, keine Rückkehr zum Ursprung vor, sondern haben typologischen Sinn: Sie sagen im Bilde des bedeutsam Geschehenen ein Unerhörtes an, das bevorsteht. In diesen Zusammenhang sind auch die mythischen Motive einbezogen, die in den Visionen endzeitlichen Geschehens auftreten; auch sie haben hier ihren spezifisch mythischen Sinn verloren und sind zu Andeutungen einer noch verborgenen, nur ekstatisch geschauten Zukunft geworden. Ihre Funktion im Zusammenhang des eschatologischen Bewußtseins tritt deutlicher hervor beim Vergleich mit einer dritten Gruppe von eschatologischen Vorstellungen, die weder ursprünglich mythischer (d. i. urzeitlicher) Art, noch auch aus der Überlieferung früherer Heils- oder Unheilserfahrung hervorgegangen sind: Es handelt sich um Vorstellungen, die den typologischen Rahmen, die endgültige Einlösung göttlicher Gerechtigkeit und Heilszusage voraussetzen, innerhalb dieses Rahmens aber negativ zum Gegenbild gegenwärtiger Daseinserfahrung erwachsen sind. Hierhin gehören die zentralen eschatologischen Vorstellungen der Totenauferstehung und des Gerichtes. Beide sind entstanden als Gegenbilder zur gegenwärtigen Erfahrung der Ungerechtigkeit im Gang des Weltgeschehens, angesichts der mangelnden Entsprechung zwischen Tun und Ergehen der Menschen, im Guten wie im Bösen. Beide Gedanken sind nicht spezifisch israelitisch, brauchen aber wegen ihrer Rolle in der persischen Eschatologie und im ägyptischen Mythos noch nicht als mythisch deklariert zu werden. Der Gedanke einer Auferstehung vom Tode wird erst da mythisch, wo er als Nachvollzug des urbildlichen Schicksals eines Heros oder einer Gottheit gedacht wird, wie etwa in den Mysterienkulten des Hellenismus, wo der Myste an der ursprünglich vegetationsmythisch gedachten Auferstehung des Osiris oder an der des Attis Anteil erhielt. Der Gedanke eines Totengerichtes wird erst da mythisch, wo der als Totenrichter gedachte Gott zu dieser Funktion kommt, weil er als Urbild der Gerichtsherrschaft des Königs verstanden wird, im Falle des Osirisglaubens vielleicht auch dadurch, daß Osiris selbst als Urbild der im Göttergericht Gerechtfertigten gilt, weil er von dem unter Vorsitz Gebs tagenden Göttergericht Recht erhalten hat gegen Seth[130]. Sind also die Vorstellungen von Totengericht und Totenauferstehung nicht in sich selbst mythischer Natur, weil sie nicht Nachvollzug mythischer Urereignisse sein müssen, so können sie doch als Folgegedanken einer mythisch verstandenen Weltordnung aufgefaßt werden, wie das in der ägyptischen Vorstellung des Totengerichtes der Fall zu sein scheint, deren Grundlage im mythischen Gedanken der Wahrheit als ursprünglicher Weltordnung (*maat*) zu suchen sein dürfte. Dieser mythische Ursprung scheint aber wiederum nicht konstitutiv für die Vorstellung des Totengerichts zu sein; denn obwohl diese Vorstellung immer die Idee eines Rechtsmaßstabes voraussetzt, an dem das irdische Leben des Abgeschiedenen im ganzen gemessen wird – womit sich der Gedanke eines Ausgleichs für die auf Erden nicht immer funktionierende Entsprechung von Tun und Ergehen verbinden kann – so braucht doch die zugrunde liegende Rechtsidee nicht immer eine mythische zu sein. Die Rechtsidee des Alten Testaments kann kaum noch mythisch genannt werden, wenn auch der Rechtsursprung noch mythisch gedacht wurde, durch Zurücktragung aller Rechtsüberlieferungen in die Ursituation des Sinaigeschehens. So haben die Vorstellungen von Totengericht und Auferstehung im alttestamentlichen Überlieferungszusammenhang weder in sich selbst mythische Struktur, noch auch mythischen Ursprung. Aber sie teilen mit eschatologisch gewendeten, mythischen Motiven der Gruppe der Paradiesesvorstellungen die Funktion als Gegenbilder zur gegenwärtigen Erfahrungswirklichkeit. Die Motive des Chaosdrachenkampfes und des Völkersturms hingegen lassen sich nur teilweise als solche Gegenbilder ver-

130. Diese Annahme ist nach S. Morenz: Ägyptische Religion, Stuttgart 1960, S. 137, durch eine Reihe von Pyramidentexten nahegelegt (vgl. auch S. 171), könnte also durchaus den Ursprung der Idee eines allgemeinen Totengerichtes durch Osiris klären.

stehen, insofern nämlich als in ihnen, entgegen der gegenwärtigen Unheilserfahrung, der künftige Sieg Gottes über die widergöttlichen Mächte veranschaulicht wird. Auf der andern Seite enthalten diese Motive auch die Erwartung einer äußersten Steigerung gegenwärtiger Unheilserfahrung. Sowohl die Momente der Steigerung aber als auch die des qualitativen Gegensatzes des Künftigen zum Gegenwärtigen gehören zur Struktur der typologischen Entsprechung des Späteren zum Früheren. Das Element des geschichtlichen Neuen, das den Unterschied der typologischen Denkweise, – vor allem wegen ihrer Offenheit für die Zukunft, – vom mythischen Denken charakterisiert, kommt besonders durch jene Motive qualitativer Differenz des Künftigen vom Gegenwärtigen zum Ausdruck. Dabei dienen eigenartigerweise gerade auch mythische Motive der Akzentuierung dieser das typologische vom mythischen Denken unterscheidenden qualitativen Transzendenz des Künftigen über alles schon Dagewesene.

Die typologische Deutung der Eschatologie eröffnet, im Gegensatz zur mythischen, einen Zugang zum Verständnis für den Zusammenhang des urchristlichen Schriftbeweises, für den der Gedanke typologischer Entsprechung zentral gewesen ist, mit dem eschatologischen Bewußtsein des Urchristentums. Die ersten Christen lebten ja in der Gewißheit, daß mit Jesus und entscheidend mit seiner Auferweckung von den Toten die vom jüdischen Glauben erwarteten Endereignisse schon angebrochen seien. Die eschatologische Totenauferstehung war an ihm, dem *Erstling der Entschlafenen* (1 Kor 15, 20), schon Ereignis geworden. Daher wurde Jesus, der von dem zum Gericht erwarteten Menschensohn als einem andern gesprochen hatte, der da kommen und seine Urteile bestätigen werde (Lk 12,8 parall.), jetzt selbst mit dem Menschensohn identifiziert und in der Folge auch mit dem Messias. Dabei macht der typologische Rahmen der jüdischen Eschatologie es verständlich, daß nicht nur die schon im Alten Testament entwickelten Typologien auf Jesus bezogen wurden – wie die Gedanken des neuen David, des neuen Moses und des neuen Bundes – sondern daß angesichts des in Jesus angebrochenen Eschaton auch umgekehrt nach weiteren Vorabschattungen der Erscheinung Jesu und seines Geschickes in der Geschichte des alten Bundes gesucht wurde[131]. So hat

131. Die folgenden Beispiele beschränken sich auf die typologischen Beziehungen zwischen der Gestalt Christi und der Geschichte des alten Bundes. Daneben wären diejenigen zwischen dem eschatologischen Gottesvolk der Christen und Israel zu nennen. Auch hier wird der Bogen der typologischen Entsprechung bis in die Urgeschichte zurückgespannt,

Paulus den Felsen, aus dem Mose zur Erquickung für das Volk Israel beim Zug durch die Wüste eine Quelle schlug (Ex 17,6), auf Christus gedeutet (1 Kor 10,4), und Johannes erblickte in der apotropäischen Anbringung des Bildes einer Schlange auf einer Stange (Num 21,8) eine Vorandeutung der Erhöhung Christi ans Kreuz (Joh 3,14). Der Hebräerbrief hat das gesamte Kultwesen Israels typologisch auf das eine Opfer Christi bezogen, so daß es auf ihn vorausdeutet, zugleich aber durch ihn überholt ist. Die weitreichendste Wirkung all dieser christlichen Typologien hat die paulinische Deutung Christi als des neuen Menschen (1 Kor 15,45 ff., Röm 5) gehabt: Sie hat das christliche Geschichtsbild begründet, demzufolge Christus durch seinen Gehorsam und Opfertod die Sünde Adams und ihre Folgen für die Menschheit überwunden hat, und sie wurde damit zu einer der wichtigsten Wurzeln christologischer Lehrbildung.

Von solcher Suche nach Entsprechungen der Geschichte Jesu zu den im Alten Testament berichteten Begebenheiten ist zu unterscheiden der eigentliche Schriftbeweis, der die Worte der Schriften und nicht die von ihnen geschilderten Begebenheiten als weissagungsträchtig in Anspruch nimmt. Die Berufung auf Weissagungen und die Behauptung ihrer Erfüllung hat von Hause aus nichts mit Typologie zu tun. Erst die Ausdehnung des urchristlichen Weissagungsbeweises über die ausdrücklich eschatologisch gemeinten Prophetenworte hinaus bringt ihn in Parallele zum typologischen Verfahren. Denn dabei wird den Worten der Schrift ein hinter ihrer unmittelbaren Bedeutung liegender tieferer Sinn unterstellt, ebenso wie den in der Schrift berichteten Ereignissen typologisch ein solcher tieferer, auf Jesus und das neue Gottesvolk vorausweisender Sinn unterstellt wurde. Dieser Schriftgebrauch, der nicht überall sicher vom eigentlichen Weissagungsbeweis zu unterscheiden ist, hat die Darstellung der Geschichte Jesu in den Evangelien tief beeinflußt. Dabei ist es oft schwer zu entscheiden, wo um der Beziehung auf bestimmte Züge der Geschichte Jesu willen alttestamentlichen Worten ein ihnen ursprünglich fremder Sinn unterlegt wurde und wo die Geschichte Jesu der Entsprechung zu vermeintlichen alttestamentlichen Weissagungen zuliebe ausgemalt und erweitert worden ist. Dieses Verfahren weist wiederum auf jüdische Wurzeln zurück. Einen geheimnisvollen Hintersinn hatte schon die apokalyptische Literatur in einigen Prophetenworten vermutet, so Dan 9 in

wenn das Pfingstgeschehen als Überwindung der infolge des babylonischen Turmbaus eingetretenen Sprachenverwirrung (vgl. Apg 2,7 ff. mit Gen 11,7 ff.) oder wenn später die Kirche als die neue Arche Noah erscheint.

der Ankündigung *Jeremias*, daß das Exil in Babylon 70 Jahre dauern solle (Jer 29, 10, vgl. 25, 11 ff.). Während prophetische Typologie die geschichtlichen Heilssetzungen Gottes, also vergangene Ereignisse, als Modelle einer erhofften Zukunft in Anspruch nahm, handelt es sich schon hier um überlieferte Texte, die auf einen verborgenen Sinn befragt werden. Doch wird auch hier ein Übergang erkennbar, wenn wir uns erinnern, wie Hesekiel Jeremias noch unerfüllte Ankündigung eines Feindes aus dem Norden (Jer 6,22 ff., 5,15 ff.) zum Anlaß nahm für seine eigene Weissagung eines letzten Kampfes gegen Gog aus Magog (Hes 38 ff.). Das weist schon voraus auf die Weise, wie das spätere Judentum in den Worten der Schrift verborgene Beziehungen auf endzeitliches Geschehen suchte, und davon wieder nahm der urchristliche Schriftbeweis seinen Ausgang, so sehr das Urchristentum andererseits über alle jüdischen Vorbilder hinausging, weil es das Ende in Jesus Christus schon angebrochen glaubte und darum den alttestamentlichen Schriften als Gotteswort a priori einen ganz bestimmten Hintersinn unterstellte, nämlich die vorausdeutende Ankündigung aller möglichen Einzelzüge der Geschichte Jesu.

IX.

Unter dem Einfluß der religionsgeschichtlichen Schule und besonders der Theologie R. Bultmanns ist es Mode geworden, eine sehr erhebliche Einwirkung mythischen Denkens auf das Urchristentum anzunehmen, gleichzeitig jedoch diese mythischen Züge als dem eigentlichen Geist des Evangeliums fremd zu deklarieren, so daß eine ›Entmythologisierung‹ des Neuen Testamentes geradezu als konsequentes Zuendeführen der zentralen Intentionen des Urchristentums gilt. Nach Wilhelm Bousset handelt es sich bei den mythischen Vorstellungen des Neuen Testaments und insbesondere bei der Mythologisierung der Person Jesu durchweg um fremde Einflüsse der zunächst jüdischen, dann hellenistisch-griechischen Umwelt des Urchristentums, deren Übernahme sich unbewußt im Gemeindeleben vollzog[132]. So habe der Messiasglaube als »fertiger Königsmantel« bereitgelegen (S. 18, vgl. S. 75), der Jesus nur umgeworfen zu werden

132. W. Bousset: Kyrios Christos, Geschichte des Christusglaubens von den Anfängen bis Irenäus, (1913), 5. Aufl., Göttingen 1965, S. 103. Die folgenden Zitate im Text verweisen auf dieses Werk. Siehe auch T. Koch: Theologie unter den Bedingungen der Moderne (Habilitationsschrift München, 1970) S. 120 ff., bes. 130–140. Aus Kochs

brauchte. Überhaupt handelt es sich nach Bousset bei den verschiedenen christologischen Vorstellungen nur um wechselnde »Hüllen und Kleider« (S. 77) für die Gestalt Jesu, deren Übernahme nicht aus der inneren Entwicklung des Christusglaubens motiviert, sondern nur aus den Umweltbedingungen abgeleitet wird. So ist der Mythos des vom Himmel herabsteigenden Erlöserheros »nicht vom Christentum gebildet« (S. 31), sondern nur von ihm übernommen worden. Bei Bultmann liegt eine analoge Auffassung von der Funktion des Mythos im Urchristentum vor, nur handelt es sich bei ihm in erster Linie um das angeblich mythische Weltbild mit Einschluß der Eschatologie, das als zeitbedingte Hülle des christlichen Selbstverständnisses erscheint, die aber schon im Urchristentum selbst, besonders bei Johannes, tendenziell durchbrochen worden ist[133]. Nun ist aber weder der Dämonenglaube, noch auch das ›dreistöckige‹ Weltbild des Urchristentums spezifisch mythisch. Es ist zwar ein für die heutige Menschheit überholtes Weltbild, aber diese Tatsache qualifiziert es noch nicht als mythisch, noch kann umgekehrt mythisches Denken schon deshalb als überholt gelten, weil jenes Weltbild überholt ist. Ähnlich brüchig ist Bultmanns historische Charakteristik der mythischen Elemente im Neuen Testament. Es soll sich dabei »im wesentlichen um die Mytholgie der *jüdischen Apokalyptik* und des *gnostischen Erlösungsmythos«* handeln[134]. Doch gerade die für das Neue Testament wichtigen eschatologischen Vorstellungen der Apokalyptik können nicht ohne weiteres als mythisch verstanden werden, und die religionsgeschichtliche Konstruktion eines gnostischen Erlösermythos, der dem Urchristentum fertig vorgelegen hätte und nach der Boussetschen Verkleidungstheorie Jesus nur als »Hülle« umgeworfen worden wäre, ist auf ernsthafte Kritik gestoßen[135]. Umgekehrt ist damit die Frage aufgeworfen, ob nicht vielleicht doch die Idee des vom Himmel herabsteigenden Erlösers, wenn sie denn ein Mythos ist, als eine spezifisch christliche Bildung begriffen werden muß. Damit soll nicht irgendeine christliche Einzigartigkeit behauptet werden, die andere, parallele oder konvergente Wege zum Erlösungsgedanken auschlösse, wohl aber muß dem Vorurteil widersprochen werden, es könne grundsätzlich auf

Darstellung geht die bemerkenswerte Parallele zu Gunkels Tendenz hervor, mythische Züge im AT auf äußere Einflüsse zu reduzieren.

133. Bultmann: Neues Testament und Mythologie, in Kerygma und Mythos, Bd. 1, S. 31 ff. vgl. 24.

134. Ebd. S. 27.

135. Siehe C. Colpe: Die religionsgeschichtliche Schule. Darstellung und Kritik ihres Bildes vom gnostischen Erlösermythus, Göttingen 1961, bes. S. 15 ff., 33, 57 ff., 207 ff.

dem Boden des Christentums, wie zuvor auf dem des Judentums, mit keinerlei mythischer Eigenproduktivität gerechnet werden.

Nicht die Eschatologie zeigt im Urchristentum mythische Züge, wohl aber erinnert die Funktion, die die Gestalt Jesu für die christliche Gemeinde erlangte, an das Archetypische des Mythos. Die Bestimmung des Menschen und der Welt ist für den Christen definitiv und unüberholbar in der Gestalt Jesu offenbart. Die christliche Liebe wird als Nachvollzug des Verhaltens Jesu begriffen. Der christliche Kultus ist in seinen zentralen Ereignissen Nachvollzug der Taufe, die Jesus auf sich nahm, und des letzten Mahles, das er feierte. Mit Christus sterben und auferstehen, das ist seit Paulus das Leitmotiv christlichen Selbstverständnisses. Diesem archetypischen Verständnis der Gestalt Jesu entspricht der normative Charakter, den die apostolische Anfangszeit für das christliche Bewußtsein behalten hat. Alle diese Züge zeigen eine frappante Ähnlichkeit mit der gründenden Urzeit des Mythos. Sie unterscheiden sich freilich vom genuinen Mythos dadurch, daß ihr Ursprung in einem unmythischen Geschehen liegt, in einer menschlichen Lebensgeschichte, deren eigene Bewußtseinsverfassung nicht mythisch, sondern eschatologisch geprägt war. Mit der Ursprungsgeschichte des Christentums stellt sich daher – insoweit hat die religionsgeschichtliche Schule richtig gesehen – unabweisbar die Frage, wie es von der unmythischen Geschichte des Menschen Jesus von Nazareth zu der eigentümlichen ›Mythologisierung‹ seiner Person kommen konnte, die sich schon bei Paulus findet. Es ist verständlich, daß man sich diesen Sachverhalt als Beeinflussung von außen zu erklären suchte. Nur erklärt eine solche Annahme den Vorgang nicht, weil die Deutungsfiguren der christologischen Interpretation keineswegs so gebrauchsfertig in der Umwelt bereitgelegen hatten, wie man angenommen hat, und weil selbst in einem solchen Falle noch offen bliebe, wie Christen derartige fremde Vorstellungen als Ausdruck ihres Glaubens übernehmen konnten, den sie ansonsten doch entschieden genug ihrer Umwelt entgegensetzten. Man wird zum Verständnis der urchristlichen Christologie mit einem erheblich größeren Maße an geistiger Produktivität der Christen selbst rechnen müssen als das in der religionsgeschichtlichen Schule üblich gewesen ist. Und dazu gehört auch die Produktion von so etwas wie einem ›neuen‹, christlichen Mythos. Dieser war freilich nicht wie der ›neue Mythos‹ in der modernen Literatur eine rein literarische Schöpfung, in der die dichterische Imagination sich durch sich selbst von ihrer bloßen Subjektivität zu befreien sucht. Der christliche ›neue Mythos‹ entstand als Auslegung des Sinngehaltes eines geschichtlichen Geschehens, und er hat die Bindung an diesen Ursprung, der zugleich sein Thema blieb, nie verloren, hat sich nie zum reinen Mythos verselbständigt. Dennoch ist der Vorgang bemerkenswert genug.

Der Kern des christlichen ›neuen Mythos‹ ist die Vorstellung des vom Himmel herabgekommenen Erlösers. Elemente zu dieser Vorstellung finden sich gewiß reichlich in der religiösen ›Umwelt‹ des Urchristentums. Es mag auch sein, daß sich mehr oder weniger weitgehende unabhängige Parallelen zu ihr nachweisen lassen, obwohl die Forschung, wie erwähnt, in diesem Punkt neuerdings eher wieder zu größerer Zurückhaltung neigt. Die entscheidende Frage bleibt in jedem Fall, wie es von den Ursprüngen christlicher Überlieferung, vom Auftreten Jesu selbst her, zu diesen Gedanken kommen konnte.

Hier erweist sich nun eine Besonderheit der Eschatologie Jesu als aufschlußreich. Bekanntlich hat Jesus die von ihm verkündete kommende Gottesherrschaft zugleich als in seinem Auftreten schon anbrechend gewußt. Dieser eigentümliche Sachverhalt mag darin begründet sein, daß im Leben desjenigen, der sich jetzt schon ganz auf die kommende Herrschaft Gottes einstellt, der Wille Gottes bereits gegenwärtig zur Herrschaft gekommen ist. Dadurch wurde Jesus selbst mit seiner Botschaft von der kommenden Herrschaft Gottes zum Ereignis ihrer Gegenwart, der Gegenwart Gottes selbst. In bedeutsamer Entsprechung dazu besagte die Nachricht von der Auferweckung Jesu, die die Bindung einer christlichen Gemeinde auslöste, den Anbruch der endgültigen, sonst in jüdischer Frömmigkeit von der Zukunft Gottes erwarteten Herrlichkeit eines neuen Lebens in ihm. Dadurch wurde die Gestalt Jesu für die Glaubenden als historische zugleich Erscheinung des Absoluten in der Geschichte, Inkarnation Gottes. Weil die Heilszukunft der Welt in ihm schon Gegenwart war, darum kommt nun für die Menschen alles darauf an, in Verbindung mit ihm zu kommen und zu bleiben: Die Verbundenheit mit seiner irdischen Geschichte, mit seinen Worten, mit seinem Leidensweg, die Teilhabe an der Mahlgemeinschaft mit ihm verbürgt die künftige Teilhabe auch an der todüberwindenden Herrlichkeit, die an ihm erschienen ist, verbürgt Teilhabe an der kommenden Gottesherrschaft. Darum mußte die Geschichte Jesu archetypische Bedeutung für seine Gemeinde gewinnen. Die Deutung der Geschichte Jesu in mythischen Kategorien ist daher nicht als von außen herangetragene Überfremdung ihres ursprünglichen Sinnes zu beurteilen, sondern war durch den dieser Geschichte eigenen Sinn gefordert, – jedenfalls im Prinzip, ohne daß mit dieser Feststellung schon über die Gestalt der ihr angemessenen mythischen Deutung entschieden wäre. Der Zug der Geschichte Jesu, der eine mythische Deutung seiner Gestalt im Sinne einer Gegenwart Gottes selbst in ihm, Inkarnation, Herabkunft Gottes ins Fleisch, verlangte, ist dabei eigenartigerweise gerade derjenige, auf den Bultmann sich für seine Behauptung einer ansatzweisen ›Entmythologisierung‹ im Neuen Testament berufen hat, nämlich der Umstand, daß in der Geschichte Jesu wie für den Glaubenden »die Heilszeit ... schon angebrochen, das Zukunftsleben schon Gegenwart geworden ist«[136]. Bultmanns Deutung dieses Sachverhalts als ›Entmythologisierung‹ erklärt sich daraus, daß er das Mythische im Neuen Testament in erster Linie in der aus der jüdischen Apokalyptik stammenden futurischen Eschatologie erblickt hat. Diese wird tatsächlich bei Jesus selbst wie auch bei Paulus und Johannes auf die Gegenwart zurückgewendet. Aber wenn man, wie das sonst in der religionsgeschichtlichen Schule üblich war[137], das Mythische der neutestamentlichen Texte besonders in der Vorstellung eines vom Himmel herabgekommenen, in Jesus erschienen göttlichen Wesens findet, dann läßt sich ein Zusammenhang dieser urchristlichen Vorstellung mit dem eigentümlichen Gedanken einer Gegenwart der Gottesherrschaft – und das heißt doch Gottes selbst – in Jesus historisch kaum von der Hand weisen, und dann muß dieser charakteristische Zug der Eschatologie Jesu und der ersten Gemeinde statt als Ansatz einer Entmythologisierung vielmehr als Ausgangspunkt des spezifisch christlichen Mythos der Inkarnation des Gottessohnes erscheinen, und zwar unabhängig von der Frage, ob dabei ein gnostischer Erlösermythos als Anregung der christlichen Lehrbildung vorausgesetzt werden kann oder nicht.

Allerdings behält der Gedanke der Inkarnation des Gottessohnes, als Mythos betrachtet, ein höchst befremdliches und störendes Element in sich. Er besagt nämlich nicht nur, daß der Gott in Menschengestalt *erschienen* sei, sondern daß er *identisch* geworden sei mit einem geschichtlichen Menschen, einer historischen Person, bis in ihr Leiden und ihren Tod hinein. Nicht zufällig ist das *vere homo* ein jahrhundertelang umstrittenes Bekenntnis geblieben, das von den Christen wohl nicht zu Unrecht als das eigentlich Besondere und Einzigartige ihres Glaubens verstanden worden ist. Der Hellenismus kannte wohl Legenden, die von Epiphanien der

136. Bultmann: Neues Testament und Mythologie, in: Kerygma und Mythos, Bd 1, S. 31.

137. Etwa bei W. Bousset: Kyrios Christos, S. 203 ff, 333, vgl. 215, 31 u. ö. Dabei kann hier auf sich beruhen, daß Bousset diesen Mythos nicht als christliche Schöpfung gelten lassen wollte, sondern auf eine hypothetisch konstruierte vorchristliche Gnosis zurückführte.

Himmlischen in menschlicher oder anderer Gestalt zu berichten wußten, aber nie bis zu dem Punkte unauflöslicher Identität mit der angenommenen Gestalt. Und er kannte andererseits Mythen vom Sterben und Auferstehen von Göttern, wobei aber immer an ein Geschehen gedacht war, das sich in der göttlichen Sphäre selbst vollzog. Der Inkarnationsgedanke hingegen hat die Substanz des Mythos, das Wesen der Gottheit selbst, gebunden an ein historisches Geschehen, an eine historische Person. Man hat mit Recht immer wieder betont, daß darin nicht nur eine beliebige Variation mythischer Grundvorstellungen liege, sondern etwas der Natur des Mythos selbst Konträres, sofern das historisch Einmalige dem das Archetypische, jederzeit Gültige aussprechenden Mythos so entgegengesetzt wie möglich ist. Doch so sehr das zutrifft, es ist doch im Nachhinein geurteilt und erklärt nicht die Verbindung der Sprache des Mythos mit dem historisch Einmaligen, wie sie im christlichen Inkarnationsgedanken vorliegt. Ein Verständnis dieser Verbindung erschließt sich erst dadurch, daß der mythische Ausdruck als Sinndeutung der historischen Gestalt Jesu von Nazareth aus dieser selbst, aus der ihr eigentümlichen Bedeutsamkeit begriffen wird. Das erfordert dann freilich das Zugeständnis, daß im Inkarnationsgedanken kein normaler Mythos vorliegt, sondern Sinndeutung einer historischen Gestalt, aber nun nicht im Sinne einer Überfremdung des ursprünglichen Evangeliums durch eine überall in der Umwelt des Urchristentums wuchernde Mythologie, sondern als Entfaltung der dieser historischen Gestalt eigentümlichen Bedeutsamkeit. Daß die für sich genommen mythologische Vorstellung eines zur Erlösung der Menschen vom Himmel herabsteigenden Gottes als die dieser Gestalt einzig angemessene Kategorie verstanden werden konnte, ergibt sich, wie oben ausgeführt, aus der Eigenart der Eschatologie Jesu, aus der Gegenwart der Herrschaft Gottes, also Gottes selbst, in seinem Auftreten und seiner Geschichte[138]. Die Verbindung von Historie und Mythos im Inkarnationsgedanken, die sonst wie eine Kombination von Feuer und Wasser erscheinen mag, erklärt sich von diesem Ausgangspunkt her zwanglos.

Der Sinn des Inkarnationsgedankens als Deutung der historischen Per-

138. Der Gedanke der Präexistenz, der die Gegenwart Gottes in Jesus als Ergebnis einer Herabkunft aus dem Himmel zu denken veranlaßt, ist durch die Ewigkeit Gottes, um dessen Gegenwart in der Geschichte Jesu es geht, gegeben. Daß der Inkarnationsgedanke nicht Gott schlechthin, sondern den ›Sohn‹ Gottes im Unterschiede zum Vater als in Jesus menschgeworden denkt, ergibt sich aus der Selbstunterscheidung Jesu vom Vater, die die christliche Gemeinde festgehalten hat.

son Jesu ist allerdings im Christentum selbst von Anfang an nicht zu völlig klarem Bewußtsein gekommen. Die Vorstellung des vom Himmel gekommenen Gottessohnes, der nach seinem Erlösungswerk auf Erden wieder zum Vater zurückkehrt, tritt schon bei Paulus unvermittelt auf (Phil 2,6 ff., Röm 8,3, Gal 4,4). Das Prioritätsverhältnis zwischen Geschichte Jesu und Inkarnationsgedanken kehrte sich für das christliche Bewußtsein um, indem es die Geschichte Jesu als von dem letzten Grund alles Geschehens, von Gott her geschehen dachte, als Sendung seines Sohnes ins Fleisch. Dadurch wurde die Historie Jesu als Ausgangspunkt des Inkarnationsglaubens verdeckt, und infolgedessen konnte christliches Reden von der Erscheinung des Gottessohnes auf Erden sich ganz in der Sprache des Mythos darstellen bis auf den einen Punkt der unauflöslichen Menschwerdung Gottes. Dieses Motiv hat das Aufgehen christlicher Theologie in der Sprache des Mythos verhindert. Im Gedanken der Menschwerdung schneidet sich dabei das zum Inkarnationsgedanken verschärfte Motiv der Epiphanie von oben herab mit der ›horizontalen‹ Einordnung der Geschichte Jesu in die Menschheitsgeschichte, wie sie seit Paulus durch die Deutung Jesu als des zweiten oder letzten Adam zum Ausdruck gebracht worden ist, der die Sünde des ersten Menschen und die ganze von ihr ausgehende verderbliche Richtung der Menschheitsgeschichte durch seine Gerechtikeit und seinen Opfertod überwunden und damit den Weg für eine neue Menschheit gebahnt hat, die mit seiner Wiederkunft ihre Vollendung finden wird[139]. Diese spezifisch christliche Lehrbildung ist nicht auf eine hypothetisch rekonstruierte Urmenschmythologie zurückzuführen, derzufolge, wie man gemeint hat, der Urmensch in seinen Gliedern (den Menschen) sich selbst erlöst. Vielmehr ist die Gegenüberstellung des zweiten zum ersten Adam für die christliche Auffassung charakteristisch, und diese Gegenüberstellung hat deutlich typologischen, nicht aber mythischen Charakter. Eine mythische Komponente kommt erst mit der archetypischen Bedeutung des zweiten wie des ersten Adam für die ihm zugehörenden

139. Der Gedanke des Paulus ist bei Ignatius von Antiochien durch die Idee eines göttlichen Heilsplans auf den neuen Menschen hin (Ign. Eph 20,1) aufgenommen worden und hat in der Rekapitulationstheorie des Irenäus (adv. haer. III, 17,4, 23,1) seine klassische theologische Gestalt gefunden. In diesen Zusammenhang gehört auch der Abschnitt aus dem *Protreptikos* des Klemens von Alexandrien (111,1 ff.), den R. Herzog – da er die christologische Tradition, in der Klemens steht, unberücksichtigt läßt – als einen von Klemens selbst konstruierten christlichen Mythos auffaßt. (R. Herzog, Metapher – Exegese – Mythos. Interpretationen zur Entstehung eines biblischen Mythos in der Literatur der Spätantike, in: Terror und Spiel, 1971, S. 157–189, bes. S. 169).

Individuen ins Spiel. Und eben hier koindiziert auch der Gedanke des zweiten Adam mit dem der Erscheinung des Gottessohnes auf Erden. Ein Ausgleich der beiden Deutungen Jesu als des neuen Menschen einerseits, als himmlischen Gottessohnes andererseits, erwies sich dennoch als unmöglich, der inneren Logik der mythischen Vorstellung von einem aus dem Himmel herabgestiegenen und wieder in ihn zurückgekehrten Gottwesen mußte der Gedanke einer echten und unumkehrbaren Menschwerdung, auch wenn diese zugleich eine Verwandlung des Menschen selbst zum ›neuen Menschen‹ bewirkte, fremd bleiben. Daraus sind die vielfältigen Aporien der christologischen Lehrbildung erwachsen. Der Gedanke der Menschwerdung bedeutet so das Korrektiv jeder geschlossen mythischen Deutung der Gestalt Jesu nach beiden Seiten hin, sowohl im Hinblick auf den Gedanken der Epiphanie des Gottessohnes auf Erden, als auch im Hinblick auf eine nur archetypische Deutung der Idee des zweiten Adam. Dennoch wird der Schritt zur mythischen Deutung der Gestalt Jesu durch den Gedanken der Menschwerdung nicht einfach desavouiert. Er setzt ihn vielmehr seinerseits voraus, und dieser Schritt ist auch als ein innerlich notwendiger und folgerichtiger anzuerkennen. Wie anders sollte sich das von der eigentümlichen Eschatologie Jesu her begründete und durch die Ostererfahrung erneuerte Gewahrwerden einer buchstäblich und streng zu nehmenden Gegenwart Gottes in Jesus verstehen? Noch heute kann es nicht anders zum Ausdruck gebracht werden als im Nachvollzug der urchristlichen Deutung Jesu in der Sprache des Mythos. Doch allerdings fungiert dabei die mythische Sprache nur als Interpretament der Bedeutsamkeit eines historischen Geschehens. Das unauslöschliche Zeichen dafür ist in der Geschichte des christlichen Denkens die Idee der Menschwerdung.

Mit der Vorstellung von einer Epiphanie des Gottesohnes verband sich alsbald der Gedanke, daß in ihm der göttliche Logos den Menschen erschienen sei. Es ist hier nicht möglich, der vielverzweigten Vorgeschichte der christlichen Logoslehre nachzugehen. Es sei lediglich daran erinnert, daß der philosophische Begriff des Logos schon in vorchristlicher Zeit zur *interpretatio graeca* nichtgriechischer Mythologien benutzt worden ist und zwar im Zuge der Übertragung der allegorischen Deutung der eigenen mythologischen Tradition auf die Mythologien anderer Völker. So hat Plutarch Osiris mit dem Logos identifiziert[140], ebenso aber auch den

140. Plutarch: De Iside et Osiride cap. 49 und 54 ff., vgl. dazu den Kommentar von Th. Hopfner: Über Isis und Osiris, Bd. 2, Prag 1941, S. 229.

ägyptischen Weisheitsgott Thot (=Hermes)[141]. Im Sinne solcher philosophischen Deutung primär mythischer Gestalten, bei der aber auch umgekehrt die philosophischen Begriffe ein mythisches Potential gewannen und zur Ausbildung einer Art sekundärer Mythologie führten, wie sie exemplarisch in den Kunstmythen der Gnosis Gestalt gewonnen hat, ist auch die Deutung des in Jesus erschienen Gottessohnes durch den Logosbegriff zu beurteilen. Wie Hermes, der Seelenführer, wurde auch Jesus als Epiphanie des göttlichen Logos zur Rettung und Erlösung der dem Sichtbaren verfallenen Menschen gedacht[142]. Der fundamentale Unterschied blieb wieder, daß Jesus als historische Gestalt mit dem Logos ineins gesetzt wurde.

Der ›neue Mythos‹ von der Epiphanie des ewigen Gottessohnes in der Gestalt Jesu von Nazareth wurde in der christlichen Überlieferung zum Ansatzpunkt einer christlichen Rezeption mythischer Denkformen des Hellenismus, die auf diese Weise der christlichen Lebenswelt einverleibt wurden. Die weit über die theoretische Sphäre theologischer Reflexion hinausreichende Bedeutsamkeit dieses Vorgangs läßt sich am besten an der Geschichte des christlichen Sonntags und am Werden des Kirchenjahres illustrieren, das das liturgische Lebensgefühl des Christentums dauerhaft geprägt hat[143].

Während die jüdische Gemeinde den letzten Tag der Woche, den Sabbat, beging im Gedanken an Gottes Ruhen von seinem Schöpfungswerk, wurde der Tag nach dem Sabbat, der erste Tag der Woche, an dem nach der Überlieferung Jesus auferstanden war, zum Tag der Christen, zum ›Herrentag‹, an dem das Herrenmahl gefeiert wurde, und schon Justin hob hervor, daß dieser Tag zugleich der Tag des Schöpfungsbeginns und der Tag des Helios war[144]. Später heißt es bei Hieronymus:

Der Herrentag aber, der Tag der Auferstehung, der Tag der Christen, das ist unser Tag. Und wenn er von den Heiden dies solis genannt wird, so nehmen wir auch diese

141. Ebd. Kap. 54, dazu Hopfner aaO Bd. 2, S. 243 ff. und wiederum 229.

142. Die platonische Beziehung zwischen dem Logos und Hermes blieb auch der christlichen Patristik bewußt. Belege dafür gibt H. Rahner: Griechische Mythen in christlicher Deutung, 3. Aufl., Darmstadt 1957, S. 174, vgl. auch 183 ff.

143. Rahner: Das christliche Mysterium von Sonne und Mond, aaO S. 89–158.

144. Justin: Apologie I, 67. Der Umstand, daß der Tag der Auferstehung Jesu mit dem des Helios zusammenfiel, veranlaßte nicht nur das frühe Mißverständnis, die Christen seien Sonnenanbeter, sondern erklärt auch zumindest teilweise die besondere Förderung des Herrentages durch den Kaiser Konstantin, den Erben spätkaiserzeitlicher Verehrung des *sol invictus,* der ihm nunmehr mit dem gekreuzigten Gottessohn identisch geworden war.

Bezeichnung gerne hin: denn heute ist das Licht aufgegangen, heute ist die Sonne der Gerechtigkeit aufgeleuchtet[145].

Die Urkirche hat, wie H. Rahner treffend hervorhebt, »diesen Heliostag mit dem Inhalt ihres Auferstehungsgeheimnisses neu erfüllt«[146]. Daß dabei der Sonnenmythos nicht nur neu ausgedeutet, sondern für die Christen überwunden wurde, erklärt sich erst daraus, daß die Auferstehung Jesu als Epiphanie einer den Helios überbietenden göttlichen Wirklichkeit verstanden wurde. Damit konnte der Aufgang der Sonne zum Symbol dieser noch mächtigeren und tiefer erlösenden Wirklichkeit werden, wie sie in der todüberwindenden und Gerechtigkeit hervorbringenden Macht des ewigen Gottessohnes in Erscheinung getreten war. In ihm war für die Patristik das Gute selbst erschienen, für dessen Wirksamkeit die Sonne nur als der sichtbaren Welt angehörendes Abbild und Gleichnis dienen konnte, wie man es schon in Platons Sonnengleichnis las[147].

Beim christlichen Osterfest zeigt sich dieselbe Aufhebung der Sonnenverehrung in den Glauben an den Auferstandenen, diesmal aber bezogen auf den Jahresumschwung der Sonne. Als die römische Gemeinde im zweiten Jahrhundert den Osterfesttag vom 14. Nisan, dem Tag der historischen Erinnerung an das letzte Passah Jesu, auf den darauffolgenden Sonntag verlegte, so daß der wöchentliche Herrentag und das Jahresfest der Auferweckung Jesu zusammenfielen, ging auch die Verbindung des ersteren mit der Sonnenverehrung auf das Osterfest über, und zwar jetzt im Hinblick auf die im Jahreskreislauf nach dem Frühlingsäquinoktium steigende Sonne. So konnte eine Predigt des 5. Jahrhunderts das Motiv des Osterspaziergangs aus Goethes Faust vorwegnehmen. Nur ist die christliche Osterfreude hier nicht wie bei Goethe Ausdruck des neuen Lebens der Natur, sondern umgekehrt erscheint die Neubelebung der Natur als Echo auf die Auferstehung Jesu: *Die ganze Natur, die bisher gleichsam tot war, feiert Auferstehung zusammen mit ihrem Herrn*[148]. *Und* wie der Ostertag sich mit der Wiederkehr der Sonne verbinden konnte, so wurde der Tod Christi im Bilde des Sonnenuntergangs veranschaulicht. *Wie die Sonne vom Westen zum Osten zurückkehrt*, sagte Athanasios, *so*

145. Anecdota Maredsolana III, 2, zitiert bei Rahner, aao S. 104. Dort weitere Belege.

146. Rahner, aaO S. 104.

147. Platon, Pol. 508 C. Die Stelle wird z. B. bei Gregor von Nazianz PG, Bd. 36, Sp. 68 ff. und 364 B. zitiert.

148. Ps. Augustinus, Sermo 164,2, PL, Bd. 39, Sp. 2067, zitiert bei Rahner, aaO S. 107.

ist auch der Herr von den Tiefen des Hades zum Himmel der Himmel aufgestiegen[149]. Schon im ausgehenden 2. Jahrhundert nannte Melito von Sardes Christus *die Sonne des Aufgangs, die auch den Toten im Hades erschienen und den Sterblichen auf Erden. Als allein wahrer Helios ging er auf aus Himmelshöhen*[150]. In solchen Worten darf man natürlich keine Abhängigkeit des christlichen Osterglaubens von einem antiken Sonnenmythos suchen, sondern sie dienten den Christen als Bilder und Symbole, um »auszudrücken, daß alles, was antike Frömmigkeit nur ahnte, in Christus höhere Wirklichkeit geworden ist«[151]. Daß es sich dabei allerdings nicht um bloße rhetorische Floskeln handelte, sondern um den Ausdruck der Überzeugung von einer realen Entsprechung des Geschehens am Himmel zur Geschichte dessen, durch den alles geschaffen worden ist, äußert sich in der liturgischen, den christlichen Festzyklus prägenden Wirkung des Gedankens der Korrespondenz zwischen Christus und Helios. Vielleicht am deutlichsten tritt sie in der Geschichte des Weihnachtsfestes hervor. Dieses ist ebenso wie vermutlich auch sein älterer Vor- und Doppelgänger als Geburtsfest Jesu, das Epiphanienfest am 6. Januar, allein aus der Korrespondenz zwischen Christus und Helios hervorgegangen; denn von irgendwelchen geschichtlich begründeten Überlieferungen über den Tag der Geburt Jesu kann keine Rede sein. Nachdem Kaiser Aurelian nach seinem Siege über Palmyra 272 in Rom am Wintersonnwendtag, der nach dem julianischen Kalendar auf den 25. Dezember fiel, ein Fest des mit Mitras identifizieren *sol invictus* eingerichtet hatte, und zwar als Geburtsfest dieses Gottes, in dem sich der Aurelian vorschwebende solare Monotheismus konkretisierte, hat die römische Kirche dieses Fest als Geburtsfest Christi übernommen. Auf der einen Seite also ist das seit Mitte des 4. Jahrhunderts belegte Weihnachtsfest Ausdruck der Konkurrenz des Christentums mit dem Sonnenkult der späteren Kaiserzeit. Andererseits ist die Übernahme des Festes nur möglich geworden, weil Christus selbst als die wahre Sonne galt und daher die Wintersonnenwende für die Feier seiner Geburt geeignet schien. So heißt es in einem christlichen Traktat, der dem beginnenden 4. Jahrhundert zugewiesen wird, mit Anspielung auf die aurelianische Benennung des 25. Dezember als Geburtstag der unbesiegten Sonne:

149. Athanasius, PG, Bd. 27, Sp. 303 D (zu Psalm 67,34).
150. Melito von Sardes nach Rahner, aaO S. 111.
151. Rahner aaO S. 112.

Wahrlich, wer ist so unbesiegt wie unser Herr, der den Tod niederwarf und besiegte? Und wenn sie diesen Tag den ›Geburtstag des Sol‹ heißen: Er ist die Sonne der Gerechtigkeit, von dem der Prophet Malachias gesagt hat: Aufgehen wird euch Gottesfürchtigen sein Name als Sonne der Gerechtigkeit, und Heil ist unter seinen Flügeln[152].

Man kann in solcher Rezeption antiken Sonnenglaubens wie auch in der Deutung des Kreuzes als Lebensbaum und Weltenbaum, in der Auffassung des Gekreuzigten als des ›wahren Orpheus‹, der die Menschheit aus den Tiefen des Hades befreite[153], und in der Selbstdarstellung des Christen im Bilde des an den Mastbaum (des Kreuzes) gefesselten Odysseus[154], den Ausdruck einer extremen Hellenisierung und mythologischen Überfremdung des Christentums erblicken. Doch solches Urteil übersieht die hermeneutische Funktion, die mythische Vorstellungen für den Christusglauben nicht nur faktisch gehabt haben, sondern wegen des eschatologischen Sinnes der Geschichte Jesu auch gewinnen mußten. Der Mythos wurde zwar herabgesetzt zum Interpretament der Geschichte, und daraus erklärt sich die durch den hellenistischen Synkretismus vorbereitete schillernde Kombination fragmentierter Mythenstücke in der patristischen Literatur. Doch in dieser Funktion sind die mythischen Motive keineswegs nur sachlich entbehrliche Dekoration, in der die hellenistische Bildung der Kirchenväter brillierte, sondern zumindest im Grundbestand der Inkarnationstheologie ein notwendiges Element der Selbstreflexion des Christusglaubens und darum auch bis in scheinbar nur spielerische Anklänge an Themen und Figuren der mythischen Überlieferung hinein gehaltvolle Explikation der Bedeutsamkeit der Geschichte Jesu. Die schwebende Leichtigkeit im Gebrauch der längst literarisch verfügbar gewordenen mythischen Motive entspricht dabei im Bewußtsein eines Klemens von Alexandrien und späterer Repräsentanten eines christlichen Platonismus dem Wissen um die Vorläufigkeit des gegenwärtigen Lebens der Christen und damit auch ihrer Gotteserkenntnis, die symbolische Theologie bleibt im Sinne des Areopagiten, weil ihr die Offenbarung Gottes nur in verhüllter Gestalt gegeben ist und das Schauen von Angesicht zu Angesicht noch aussteht.

152. Zitiert ebd. S. 135.
153. Ebd. S. 65 ff.
154. Ebd. S. 281–328, bes. 315 ff.